GENTE DE RESULTADOS

EDUARDO FERRAZ

GENTE DE RESULTADOS

MANUAL PRÁTICO
para formar e liderar
equipes enxutas de
alta performance

Planeta ESTRATÉGIA

Copyright © Eduardo Ferraz, 2018
Copyright © Editora Planeta do Brasil, 2018
Todos os direitos reservados.
www.eduardoferraz.com.br

Preparação: Geisa Oliveira
Revisão: Elisa Martins e Eliana Rocha
Diagramação: Maurélio Barbosa | designioseditoriais.com.br
Capa: Fabio Oliveira
Imagem de capa: Aha-Soft/Shutterstock

Dados Internacionais de Catalogação na Publicação (CIP)
Angélica Ilacqua CRB-8/7057

Ferraz, Eduardo
  Gente de resultados: manual prático para formar e liderar equipes enxutas de alta performance / Eduardo Ferraz. - São Paulo: Planeta do Brasil, 2018.

  ISBN: 978-85-422-1271-6

  1. Liderança 2. Recursos humanos 3. Administração de pessoal 4. Negócios I. Título

18-0092   CDD 658.4092

Ao escolher este livro, você está apoiando o manejo responsável das florestas do mundo

2023
Todos os direitos desta edição reservados à
EDITORA PLANETA DO BRASIL LTDA.
Rua Bela Cintra, 986 – 4º andar
01415-002 – Consolação – São Paulo-SP
www.planetadelivros.com.br
faleconosco@editoraplaneta.com.br

Sumário

PREFÁCIO..7

PRÓLOGO 11

INTRODUÇÃO 15

PARTE 1
AUTOCONHECIMENTO E ANÁLISE

1 QUAL É SEU ESTILO DE LIDERANÇA? 27
   Os cinco estilos de liderança................................31
   Estilo 1 – Protetor 32
   Estilo 2 – Trator..37
   Estilo 3 – Centralizador 41
   Estilo 4 – Empreendedor 46
   Estilo 5 – Misto 50

2 SWOT PESSOAL...57

3 SWOT EMPRESARIAL 67

4 PERFIS PROFISSIONAIS – QUAL O LUGAR CERTO PARA CADA UM DELES?..83
   Perfil 1 – Técnico..85

Perfil 2 – Acelerado 89
Perfil 3 – Sociável 93
Perfil 4 – Misto 96

PARTE 2
TOMADAS DE DECISÕES E ESTRATÉGIAS
PARA ALTA PERFORMANCE

5 GESTÃO NA PRÁTICA – CRITÉRIOS PARA DEMITIR, CORRIGIR, ORIENTAR, ESTIMULAR OU DAR CONDIÇÕES ESPECIAIS 101
   Atitudes e resultados individuais 102
   Avaliação prática 105

6 COMO ESCOLHER A PESSOA CERTA PARA SUA EQUIPE 121
   Defina os parâmetros 122
   Saiba onde e como encontrar talentos sem gastar muito 125
   Faça a triagem/seleção dos candidatos 127
   Conduza entrevistas eficazes 131
   Monte uma matriz decisória e bata o martelo 137

7 CONSTRUINDO A ALTA PERFORMANCE 145
   Implante a cultura da transparência 146
   Motive seus colaboradores 148
   Potencialize a maturidade 152
   Dê feedbacks 156

8 ESTÁGIOS DE PERFORMANCE 177
   Estágios 1 a 3 – Baixa performance 179
   Estágios 4 a 5 – Média performance 181
   Estágios 6 a 7 – Boa performance 183
   Estágios 8 a 10 – Alta performance 185

PARA CONCLUIR: OS QUATRO GRANDES DESAFIOS PARA A
ALTA PERFORMANCE 195

AGRADECIMENTOS 197

O AUTOR 199

REFERÊNCIAS BIBLIOGRÁFICAS 201

Prefácio

Talvez a palavra que melhor defina os tempos atuais seja *velocidade*. Muita dessa pressa decorre da enorme rapidez com que novas informações são geradas e da possibilidade que cada indivíduo tem de, a partir de um trivial smartphone, dispor de uma janela para o mundo, com acesso amplo ao conhecimento e à tecnologia de ponta.

No entanto, toda essa disponibilidade coloca organizações de todos os portes em uma posição nunca antes experimentada. Afinal, a época em que era possível obter vantagem competitiva apenas a partir da informação/tecnologia ficou para trás, já que praticamente todos têm acesso aos mesmos dados.

Assim, um grande diferencial passou a ser a capacidade (e o bom senso) de selecionar o que realmente vale a pena nesse enorme leque de opções. Na área de gestão de pessoas não é diferente, pois quase todos os dias surge alguém com uma "fórmula milagrosa" para alcançar grandes resultados com pouco

PREFÁCIO

esforço e de maneira rápida. Essa é uma característica do contexto atual: a busca por soluções fáceis que resolvam problemas difíceis e que tragam resultados imediatos.

A má notícia é que esse tipo de abordagem simplista quase sempre é um engodo, pois soluções mágicas omitem o principal diferencial competitivo em qualquer empresa, que é passar, obrigatoriamente, pelo difícil processo de encontrar, preparar, motivar e liderar profissionais talentosos de forma consistente e duradoura.

Na prática, essa situação exige que o gestor saiba priorizar as informações que realmente são úteis para aproveitar o que cada membro de seu time tem de melhor, pois as equipes precisam ser cada vez mais enxutas e eficazes.

A informação é o meio, mas o fim está nas pessoas. É por isso que *Gente de resultados* nasce como um livro indispensável para o líder que deseja formar uma equipe excepcional.

Para começar, Eduardo Ferraz apresenta uma obra solidamente alicerçada em trinta anos de experiência prática, complementada por um ótimo trabalho de pesquisa e análise que oferece sustentação aos argumentos aqui encontrados.

Além disso, o autor foge do caminho fácil da generalização ao se posicionar de forma corajosa em relação a um tema tão delicado, respeitando a individualidade de cada um, mas com foco em ações concretas para posicionar as pessoas certas nos lugares certos – premissa básica para a criação de times verdadeiramente extraordinários.

A estruturação do conteúdo e o estilo de escrita de Eduardo conseguem transformar um assunto complexo e repleto de nuances em uma leitura agradável, com um passo a passo que pode ser implementado por qualquer gestor. Outra vantagem é que, apesar de a teoria servir para negócios de todos os portes, a maioria dos casos apresentados trata de pequenas e médias empresas, justamente o segmento mais carente em termos de estratégias e métodos de gestão.

Por tudo isso, penso que esta obra é um precioso guia para nos orientar pelo tortuoso caminho de criar empresas fora de série, a partir daquilo que qualquer organização tem de mais importante e valioso: gente que faz a diferença.

Ricardo Amorim
Economista, apresentador do programa *Manhattan Connection* da GloboNews. Eleito pela *Forbes* uma das cem pessoas mais influentes do Brasil.

Prólogo

Conheci Eduardo Ferraz em nossas palestras de gestão pelo Brasil. E à medida que eu lia as suas palavras neste livro, lembrava-me das primeiras lições que tive sobre a vida dos negócios, na fazenda onde vivi com a minha família até os 10 anos de idade. Meu pai, que era fazendeiro e fazia negócios ao lado dos filhos pequenos, sempre dizia: "Se quer uma boa colheita, faça um bom preparo da terra e escolha uma boa semente".

Ora, o que mais nos quer dizer Eduardo quando ressalta a importância de que um líder tenha o *autoconhecimento* (conhecimento sobre a sua forma de agir e liderar); o *conhecimento do seu negócio* (como, por exemplo, os valores da empresa); e o *conhecimento sobre as pessoas e seus perfis profissionais* (como ter a pessoa certa, no lugar certo e como desenvolver e reter esses profissionais)?

Hoje em dia, já não vivemos em uma época em que há tempo para testar e errar. Não podemos mais fazer a gestão de pessoas de uma forma intuitiva, com tentativas e erros.

PRÓLOGO

Eu costumo falar que quando cheguei a Brasília, tinha apenas duas coisas: um sonho e um diploma! Quando eu e minha sócia, Sandra, resolvemos abrir o Laboratório Sabin, não sabíamos fazer gestão. Nós tivemos que aprender e estudamos muito! Trata-se de um exercício constante, fundamental para o desenvolvimento e inovação: viajamos buscando inspiração nas melhores organizações pelo Brasil e pelo mundo; pesquisamos as melhores práticas que as outras organizações possuem; alinhamos nossos processos seguindo modelos que realmente geram resultados positivos.

Além disso, conforme Eduardo elucida detalhadamente em seu livro, a forma como o líder pensa, fala e age deve ser observada minuciosamente. A cultura da organização estará diretamente atrelada ao seu jeito de ser: as pessoas se adaptam por meio do exemplo; da observação. Coerência é fundamental.

É por esse e outros motivos que sou uma entusiasta de ferramentas como este livro, de compreensão e estudo, para que possamos aprender e aperfeiçoar nossas formas de fazer gestão! Desenvolver uma equipe de alta performance em sua organização requer um forte sistema de gestão de pessoas: uma liderança preparada para inspirar pessoas a realizarem objetivos e metas, mas, ao mesmo tempo, dar oportunidade aos sonhos delas! Somente assim elas poderão desenvolver a organização enquanto caminham para a autorrealização.

Portanto, Eduardo oferece com este livro um bate-papo de qualidade com o empreendedor e líder, que deseja alcançar a alta performance, de forma consciente, transparente e segura. Ele faz isso de forma fluida, por meio da apresentação de histórias e da construção de matrizes de análise, junto com o leitor, traçando esse caminho fundamental que já falamos aqui: conhecer bem a si mesmo; os perfis profissionais e o próprio negócio.

Trata-se de um manual prático para a sua atividade profissional com pessoas, sempre pautado em um olhar analítico, atento e global da questão, sem perder de vista as especificidades desse trabalho. Afinal, ninguém leva ninguém aonde ainda não chegou, não é mesmo?!

Sendo assim, esta é, sem dúvida, uma leitura obrigatória para líderes que desejam transformar seus sonhos, e o das pessoas, em atitudes e, por fim, em resultados!

Janete Vaz
Presidente do Conselho de Administração do Grupo Sabin

Introdução

De todas as medidas relevantes a serem tomadas para obter excelentes resultados, a mais importante será contar com uma equipe impecável. Jim Collins, renomado estudioso na gestão de negócios, compara empresas com embarcações – e afirma que o comandante (tanto de pequenos como de grandes barcos) deve ter quatro grandes desafios para atingir a alta performance:

1. Embarcar as pessoas certas e desembarcar as erradas.
2. Colocar as pessoas certas nas funções certas.
3. Decidir a rota com as pessoas certas.
4. Ter como principal prioridade manter ao menos 90% das pessoas certas nos lugares certos.

Vamos analisar uma situação real para entender como funciona esse cenário na prática. Imagine os desafios do capitão de um barco pesqueiro de caranguejos gigantes no Alasca

INTRODUÇÃO

(se ainda não assistiu, procure ver alguns episódios do programa *Pesca Mortal*)[1] com apenas cinco tripulantes: a viagem dura vários dias; as condições climáticas são terríveis (frio intenso e tempestades constantes); em alguns períodos, trabalha-se mais de dezoito horas por dia para aproveitar locais promissores; as ondas são altíssimas e imprevisíveis; qualquer descuido pode ser fatal ou causar sérios ferimentos nos marinheiros.

Em compensação, a remuneração é muito atrativa – trabalha-se dois meses para receber, em uma boa temporada, o equivalente a um ano de trabalho normal. O interessante é que, apesar de os barcos e equipamentos serem semelhantes, e todos atuarem na mesma região, alguns capitães têm resultados consistentemente melhores, por muitos anos, e alguns, mesmo experientes em outras situações, desistem nas primeiras tentativas dessa modalidade de pesca. Quando os melhores comandantes são questionados sobre os motivos de tamanha diferença de resultados, as respostas são muito parecidas: "O que faz a diferença é saber recrutar, treinar e liderar a equipe, pois é um trabalho em que falhas, além de gerar prejuízo, podem ser fatais".

Se um dos tripulantes enjoa em situações extremas, não consegue ficar acordado por muito tempo, tem dificuldade de executar suas tarefas ou se machuca, a equipe perde imediatamente 20% ou mais da produtividade, sobrecarregando os demais. Se dois marinheiros tiverem problemas, a viagem acaba e o prejuízo é irrecuperável, pois a janela de atividade é restrita. Duas temporadas ruins podem levar o capitão à falência.

O problema é que os melhores marinheiros estão empregados ou são donos do próprio barco, o que obriga o comandante

---

1. Disponível em: <http://www.brasil.discovery.uol.com.br/natureza/pesca-mortal/>.

a gastar uma fortuna para tirar um profissional da concorrência (correndo o risco de ele não se adaptar ao seu modelo de trabalho) ou recrutar e treinar novatos promissores (cujo risco também é grande). Ou seja, é um trabalho dificílimo, além de muito arriscado.

Analisemos a situação em outro tipo de embarcação. Imagine que o capitão de um navio de cruzeiros turísticos recebe a ordem de demitir 20% dos quinhentos tripulantes e o critério de corte é o profissional com diária ou salário mais alto. A justificativa da operadora é que os custos estão muitos elevados e que é necessário "enxugar" a equipe. O comandante obedece e demite artistas, chefes de setor, crupiês, garçons, cozinheiros, pessoal de limpeza e de manutenção, recreadores, atendentes etc. Como não houve um critério justo (atitudes ruins ou resultados abaixo do esperado, por exemplo), muita gente de boa performance saiu, apenas porque ganhava mais. Provavelmente haverá perda significativa na qualidade dos serviços, não apenas pela sobrecarga de trabalho, mas pelo fato de muitos tripulantes que serviam como referência terem sido dispensados. Os passageiros rapidamente perceberão muitas falhas, começarão a divulgá-las em mídias sociais e a empresa perderá receitas. Esse foi o típico enxugamento "burro", pois um profissional muito competente faz um trabalho melhor que três medianos e, é óbvio, ganha mais.

Façamos uma correlação: para alcançar ótimos resultados, os comandantes de pequenas ou grandes empresas precisam trabalhar com equipes enxutas, contudo na medida certa, ou seja, um número mínimo, mas suficiente, de profissionais qualificados e comprometidos, que dão o seu melhor e que recebem proporcionalmente aos resultados que geram. O grande desafio é encontrar e manter apenas pessoas com tais características.

INTRODUÇÃO

Donos de pequenos negócios (dados do Sebrae – Serviço Brasileiro de Apoio às Micro e Pequenas Empresas – mostram que o Brasil tem 24,9 milhões de empreendedores)[2], na esmagadora maioria das vezes, não contam com departamento de recursos humanos ou consultoria especializada em gestão de pessoas. Há ainda milhares de chefes que, apesar de não serem proprietários do negócio, comandam times reduzidos. Em outras palavras, a maior parte dos gestores brasileiros precisa trabalhar com equipes enxutas. Entretanto, quase toda a literatura que trata do tema gestão de pessoas é voltada às empresas cujos líderes podem contar com recursos (pessoal, orientação, treinamento, estrutura, tempo e dinheiro) que poucos chefes brasileiros têm, e a maioria relata muitas dúvidas sobre que caminho seguir.

Ouço muito: "Pago pouco, não tenho uma estrutura que possibilite treinamentos constantes e, principalmente, não consigo oferecer perspectivas em longo prazo. O mais desesperador é que, muitas vezes, funcionários promissores pedem demissão por motivos banais ou por salário apenas um pouco maior. Isso faz com que eu me sinta frustrado e desmotivado para investir tempo na formação das pessoas. Como contratar, formar, reter, motivar e desafiar profissionais de alto potencial com poucos recursos financeiros?".

Outro caso comum diz respeito aos empresários que ficam divididos quando parentes trabalham em sua empresa. Escuto com frequência: "Adoro meus parentes, mas tenho enorme dificuldade de gerenciá-los: se os protejo, perco autoridade

---

2. SEBRAE. "Perfil dos empreendedores". Disponível em: <datasebrae.com.br/perfil-dos-empresarios/#empreendedores>.

com os demais funcionários; se sou exigente, crio ressentimentos que interferem na vida familiar. Como agir?".

E não é só isso. A maioria dos gestores de médias e grandes corporações (diretores, gerentes, supervisores e coordenadores) também tem equipes reduzidas, mas é pressionada a diminuir custos e trabalhar com menos colaboradores. Muitos desses profissionais dizem: "Meus subordinados estão sobrecarregados e, mesmo assim, sou cobrado para pressioná-los ainda mais para melhorar os resultados. Como liderá-los em um contexto tão difícil, se me sinto impotente em lidar com minhas próprias demandas?".

São dúvidas que se repetem bastante e podem ser resumidas em uma questão principal: "**Como eu, líder de uma equipe enxuta – que não sou poderoso, rico ou famoso –, faço para alcançar a alta performance por meio das pessoas? Como posso utilizar uma metodologia que dependa mais de mim do que de terceiros?**".

Conheço essa demanda e sinto-me confortável para propor soluções porque as testei, na prática. Nos últimos trinta anos, estimo que tenha investido mais de trinta mil horas de trabalho em atividades de consultoria, treinamentos e palestras na área de gestão de pessoas (que também envolve negociação e vendas) em empresas de todos os portes. Coordenei dezenas de processos de seleção, entrevistei pessoalmente milhares de candidatos e acompanhei muitos deles por vários anos após a contratação.

Elaborei vinte e quatro colunas mensais sobre gestão em pequenas e médias empresas, gravei mais de duzentos vídeos sobre empreendedorismo, liderança e carreira para o site da revista *Exame* (há uma lista nas referências bibliográficas, p. 201) e escrevi quatro livros, que são best-sellers e tratam de alguns desses temas.

INTRODUÇÃO

Também analisei e respondi centenas de perguntas sobre o assunto e realizei muitas sessões de aconselhamento a clientes para ajudá-los a posicionar as pessoas certas nos lugares certos.

Além disso, contei com críticas e sugestões de profissionais muito gabaritados – os quais cito nos agradecimentos –, que leram as primeiras versões deste material.

Após ouvir toda essa massa crítica (a responsabilidade pelo texto é apenas minha), procurei escrever com objetividade e clareza, e evitei subestimar a inteligência do leitor com soluções mirabolantes ou impraticáveis. Por personalidade e estilo, prefiro errar pelo excesso que pela omissão. Por isso, utilizo com frequência a seguinte frase com meus clientes: "Agora que conheço a situação, se estivesse em seu lugar faria da seguinte forma [...]". E será dessa maneira que procederei em muitos temas do livro.

Para ser o mais didático possível, usarei no final da maioria dos capítulos cinco casos que terão continuidade (os mesmos personagens passarão por diferentes estágios de melhoria no decorrer do livro) até o encerramento. As histórias estão relacionadas com a gestão de equipes enxutas, que é o principal propósito deste material; contudo, a mesma lógica pode ser aplicada a empresas de qualquer porte.

O leitor também perceberá que a maioria dos exemplos remete a profissionais cujo trabalho é mais mental que físico. Penso, assim como muitos outros, que o trabalho braçal ou repetitivo está sendo substituído, cada vez com mais rapidez, por alguma forma de automação ou inteligência artificial. Para reforçar a importância desse novo paradigma, Jim Collins usa uma frase impactante e verdadeira: "**Pessoas não são o ativo mais importante de uma empresa. As pessoas certas é que são**".

Esse conceito vale para qualquer negócio, porém é ainda mais relevante para equipes reduzidas, já que apenas uma "pessoa errada" no grupo de trabalho pode colocar todo o negócio em risco.

Portanto, este livro é um manual prático para líderes que gostariam de obter alta performance em sua atividade profissional por meio das pessoas certas.

Para facilitar a leitura, organizei o livro em duas partes:

Na **Parte 1 – Autoconhecimento e análise**, veremos que, para montar um time de alta performance, você precisa conhecer a fundo tanto seu jeito de ser como em que situação está seu negócio. Isso tem muito a ver com sua personalidade, mas também com sua equipe atual e o ambiente da empresa. Para tanto, estruturei esta parte do livro em quatro capítulos. No capítulo 1, estudaremos cinco estilos de liderança (protetor, trator, centralizador, empreendedor e misto) que têm vantagens a serem aproveitadas, mas também pontos negativos que precisam ser melhorados. Você poderá conhecer seu estilo por meio de um teste.

No capítulo 2, analisaremos a SWOT pessoal: quais são seus pontos fortes e pontos fracos? Para quais ameaças você deveria se preparar, e quais oportunidades aproveitar? A análise desses quatro pontos dará ferramentas para você preparar um plano de ação pessoal.

No capítulo 3, veremos como analisar a SWOT de sua empresa ou de seu negócio, ou seja, como lidar com pontos fortes, pontos fracos, ameaças e oportunidades para preparar um planejamento consistente para os próximos meses e anos.

No capítulo 4, estudaremos os quatro perfis profissionais mais comuns (técnico, acelerado, sociável e misto) e como adequar cada um deles às funções em que possam render o máximo.

INTRODUÇÃO

Na **Parte 2 – Tomadas de decisões e estratégias para alta performance**, veremos parâmetros muito claros para você tomar decisões importantes sobre como agir com sua equipe, como agregar novos profissionais ao negócio e até como começar a montar um time vencedor do zero, se for o caso. Esta parte está dividida em outros quatro capítulos.

No capítulo 5, estudaremos critérios para definir quem você deve demitir, orientar, treinar e a quem dar condições especiais.

No capítulo 6, mostraremos como escolher a pessoa certa para agregar a sua equipe. Você verá onde procurar, como fazer a triagem dos currículos e como conduzir uma entrevista eficaz.

No capítulo 7, veremos como construir a alta performance aproveitando, ao máximo, o potencial de cada um de seus colaboradores, definindo uma cultura meritocrática, usando técnicas de feedback, motivando as pessoas e estimulando o aumento do nível de maturidade para as tarefas mais importantes.

Por fim, no capítulo 8, veremos como evoluir gradativamente nos estágios de performance e que atitudes e compromissos pessoais farão a diferença para que você utilize as propostas deste livro para obter grandes resultados.

Pontos importantes:

1. Usarei uma metodologia baseada na que pratico em consultorias e treinamentos. A parte 1 é um pouco mais teórica e contém vários exercícios de análise, o que requer um pouco mais de paciência. Alguns leitores podem perguntar: "Eu não poderia ir direto à parte prática? Pergunto, pois não tenho muito tempo nem paciência para ficar preenchendo exercícios". A resposta é a mesma que dou aos clientes mais ansiosos: "Imagine o risco de irmos direto à ação (como trocar pessoas que não precisam ser trocadas, contratar gente que nada tem

a ver com a cultura da empresa ou criar estratégias incompatíveis com seu real projeto de vida) antes de termos todas as informações necessárias. É como você ir ao médico e dizer que precisa de um remédio para fortes dores crônicas, mas que não tem tempo para fazer os exames". A chance de cometermos erros por não termos um diagnóstico correto é enorme. Por isso, minha sugestão é que você faça o passo a passo e preencha todos os exercícios. Na parte 2, garanto que, já tendo em mãos um diagnóstico preciso, você aproveitará muito melhor o conteúdo, e assim poderá levar, com segurança, sua equipe à alta performance.

2. As histórias e personagens são baseadas em situações reais que observei ou pelas quais passei. Tive, no entanto, o cuidado de mudar os nomes e, em alguns casos, alterar o ramo do negócio, para que as pessoas não possam ser identificadas, pois, como você observará na leitura, as empresas ou os negócios que elas comandavam estavam em sérias dificuldades em função de uma gestão equivocada.

3. Para facilitar a leitura, haverá clara diferenciação na apresentação (inclusive com diferentes letras e tons) da teoria e dos casos. Assim, será muito mais fácil uma releitura em que você só queira acessar o conteúdo teórico ou apenas relembrar as histórias.

4. Desenvolvi os primeiros modelos do teste que você verá quando comecei minha carreira de consultor, no início da década de 1990. Com o passar dos anos, foi sendo aprimorado mediante centenas de feedbacks até chegar à versão final disponível neste livro. O teste também poderá ser realizado no site <genteder esultados.com>.

Boa leitura!

Parte 1
Autoconhecimento e análise

O mundo abre passagem para a pessoa que sabe para onde está indo.
Ralph Waldo Emerson

1
Qual é seu estilo de liderança?

Estilo é a forma como executamos nossos pensamentos.
GEORGES BUFFON

Acalorados debates ocorrem a respeito de uma questão absolutamente relevante sobre liderança: a pessoa "nasce" líder ou trata-se de uma habilidade a ser desenvolvida?

Há defensores nos dois extremos. Um grupo afirma que liderança é uma característica inata, observada em diversas espécies de mamíferos selvagens, como lobos e chimpanzés (em que a personalidade dominante aparece nas primeiras semanas de vida), ou em humanos, cujos alguns poucos indivíduos demonstram tendência de comandar ainda no jardim de infância e assim continuarão durante toda a existência, indicando que a genética tem grande impacto nessa característica.

Outro extremo acredita que a liderança é uma habilidade que pode ser aprendida e aperfeiçoada durante a vida e que a influência do ambiente é maior que a da genética. Os adeptos dessa hipótese afirmam também que comportamentos de dominância e submissão observados em mamíferos selvagens (assim como em humanos) são influenciados pela observação e imitação do comportamento dos pais e depois de outras figuras marcantes na vida do indivíduo.

Um terceiro grupo, do qual faço parte, acredita que há um equilíbrio entre genética e ambiente. Ou seja, o indivíduo nasce, sim, geneticamente predisposto a manifestar certas características comportamentais como a dominância, mas o ambiente é tão importante quanto a predisposição inata e pode, assim, atenuá-la ou potencializá-la. A força do ambiente é maior até o início da adolescência, porém é possível aprimorar tecnicamente essa e muitas outras habilidades durante toda a vida.

Minha principal referência nessa área é o ganhador do prêmio Nobel de economia no ano 2000, James Heckman, que, em uma metáfora, compara a personalidade de um adulto a um prédio. Ele diz que é improvável mudar a estrutura do prédio (personalidade), mas é possível aperfeiçoar o acabamento.

Isso significa, na prática, que há pessoas com aptidão natural para liderar e que podem aprimorar ainda mais essa habilidade.

Do mesmo modo, há indivíduos que nunca demonstraram interesse em comandar, mas que por necessidade ou oportunidade se transformam em ótimos líderes por meio do esforço e do estudo diligente.

A neurociência chama de neuroplasticidade a capacidade de o cérebro adulto – mesmo com uma estrutura relativamente estável – aprimorar conhecimentos, buscar caminhos neurais alternativos, formar novas sinapses (ligações entre neurônios) e aprender coisas complexas, como um novo idioma, mudar de profissão na meia-idade, aprender técnicas de liderança para potencializar a carreira ou obter melhores resultados nos negócios.

O problema é que a neuroplasticidade tem limites e demanda tempo e energia: quando você se esforça para aprimorar um ponto forte estrutural, há pouco gasto de energia e a melhora de desempenho é muito rápida.

Quando, por exemplo, um indivíduo que já tem habilidade natural para lidar com o público (extrovertido, empático e articulado) faz um bom curso de técnicas de vendas, tende a melhorar significativamente seus resultados em poucas semanas, ou seja, ele aprimorou o que era naturalmente bom. Por outro lado, se o indivíduo odeia lidar com desconhecidos (introvertido, reservado e envergonhado), pois sente-se desconfortável com todo o processo de negociação, o mesmo treinamento terá efeito limitado, pois trata-se de uma dificuldade estrutural. O introvertido, no entanto, terá facilidade de trabalhar em funções que exijam silêncio e concentração, contexto muito mais difícil para pessoas extrovertidas.

Isso significa que temos muita facilidade para fazer algumas tarefas e enorme dificuldade para realizar outras. A vantagem é que para liderar pessoas não há um caminho único, já que gestores podem ser muito bem-sucedidos em um mesmo ramo de negócio tendo personalidades muito diferentes entre si.

Costumo usar a análise DISC (que estuda Dominância, Influência, eStabilidade e Conformidade em diferentes intensidades) para avaliar a personalidade de meus clientes de consultoria ou de treinamentos com vários módulos.

A tendência é que semanas serão necessárias para se compreender e utilizar os conceitos da DISC, o que não caracteriza problema em programas continuados. Entretanto, ao ministrar treinamentos de um único módulo sobre liderança (de oito a dezesseis horas), observei que o tempo era curto para ensinar toda a teoria DISC, pois havia outros assuntos também relevantes. Por um bom tempo, procurei formas de simplificar o conteúdo, priorizando o que pudesse ser compreendido e assimilado de maneira eficaz em um curto período. Depois de muito estudo e análise de milhares de pessoas, concluí que há quatro grandes estilos de liderança, que contemplam ao menos 70% dos indivíduos e que podem funcionar muito bem, desde que compreendidos e administrados. Há cerca de dez anos passei a utilizar a análise desses quatro estilos (e um misto, quando a pessoa tem características de dois ou mais estilos) em treinamentos – além de consultorias mais curtas –, e os resultados têm sido ótimos, pois as pessoas conseguem se identificar muito rapidamente.

Assim, será de extrema importância você conhecer seu estilo, não para mudá-lo, mas para aproveitá-lo ao máximo e, ao mesmo tempo, para fazer as melhorias necessárias. **O objetivo será ajustar a forma, não o conteúdo.**

A seguir, veremos a descrição dos quatro estilos de liderança, bem como os pontos fortes e fracos de cada um. Depois de explicar os perfis, começarei a mostrar casos de líderes de determinado estilo com sérias dificuldades – não em virtude de o estilo ser ruim, mas por não conseguirem fazer ajustes quando necessário. Lembra uma famosa frase de Mark Twain: "Para quem só tem martelo como ferramenta, todo problema é prego".

No decorrer dos capítulos, os casos continuarão de onde pararam, mas o personagem principal de cada história fará mudanças a fim de melhorar seu desempenho.

No final deste capítulo, você terá um teste para analisar quanto de cada estilo compõe sua personalidade. Se preferir, pode preenchê-lo agora, antes de ler a descrição dos estilos ou fazê-lo após leitura e análise do texto. Você também pode fazer o teste no site <www.gentederesultados.com>.

Os cinco estilos de liderança

Todos nós temos um pouco dos quatro estilos ou perfis de liderança. Cerca de 70% das pessoas apresentam um estilo mais intenso e, em torno de 30%, dois ou mais estilos próximos (misto). É importante reforçar que não há um perfil melhor que o outro, mas características positivas e negativas em cada um. Portanto, o ideal seria aproveitar ao máximo seu estilo natural e, dentro do possível, agregar uma ou outra boa característica dos outros. Vamos a eles.

Estilo 1 – Protetor

A pessoa com o estilo protetor em alta ou altíssima intensidade costuma ser gentil, acolhedora e interessada no bem-estar de seus subordinados. Quando a equipe é madura e responsável, esse perfil de liderança tende a gerar bons resultados, pois todos se sentem protegidos e respeitados. Os problemas surgem quando um ou outro colaborador abusa dessa benevolência e começa a fazer tarefas pela metade, faltar com frequência e não se comprometer com resultados. Nesses casos, o gestor precisará ajustar sua maneira de ser, cobrando de forma mais direta e eventualmente punindo maus comportamentos, sem mudar, na essência, seu estilo acolhedor.

Características comuns de quem tem o estilo protetor predominante:

- Vocação para ensinar. Uma de suas habilidades é orientar ou ensinar tarefas com esmero e paciência. Essa aptidão é ainda mais relevante quando aplicada a pessoas pouco experientes ou jovens.
- Gentil. Costuma ser respeitoso na maior parte do tempo e dificilmente perde a calma ou demonstra irritação.
- Acolhedor. Procura integrar as pessoas e cria um ambiente de trabalho harmonioso.
- Interessado. Normalmente procura conhecer a vida pessoal de cada subordinado.
- Bom ouvinte. Ouve a opinião das pessoas antes de tomar decisões importantes.
- Evita conflitos. Faz o possível para evitar discussões ou cobranças ásperas entre os membros da equipe.
- Evita criticar. Gosta de elogiar, mas tem dificuldade de dar feedbacks corretivos.

- Paternalista. Tende a proteger, às vezes excessivamente, os subordinados.
- Tolerante. Costuma tolerar pequenas falhas por ter receio de gerar insatisfação e desmotivação.
- Anseia por aprovação. Gosta de ser elogiado e admirado por seus pares e subordinados.

Quem tem esse estilo muito intenso costuma apresentar os seguintes pontos fortes e pontos fracos:

PONTOS FORTES	PONTOS FRACOS
Cria um ambiente acolhedor	Pode parecer conformado
É respeitoso	Pode ser muito complacente
Gera pouca rotatividade	Pode gerar acomodação
É participativo	Pode parecer indeciso

Quem tem o estilo protetor muito intenso costuma ter os seguintes pensamentos recorrentes no dia a dia:

- Preciso fazer com que as pessoas se sintam bem.
- É melhor ceder para evitar discussões.
- Custa-me dizer não.
- Um bom ambiente gera bons resultados.
- Excesso de pressão é ruim para o negócio.

Dicas para ajustes:

- Procure ser mais exigente com quem é pouco comprometido.
- Evite passar a imagem do líder que não se importa com resultados.
- Retire da equipe pessoas que abusam de sua boa vontade sem dar muito em troca.
- Seus subordinados irão admirá-lo ainda mais se você for um pouco mais decidido.

Caso 1 – O paizão

Carlos está com 45 anos, trabalhou como funcionário público durante vinte anos e há dois aproveitou um plano de demissão voluntária e recebeu um bom valor como indenização. Ele contava com uma estrutura invejável: bom salário, aposentadoria com salário integral, excelente plano de saúde, os melhores treinamentos, ótima infraestrutura e apoio de consultorias de alto nível. Entretanto, reclamava do excesso de burocracia, dos muitos chefes (dizia haver mais caciques que índios), dos colegas acomodados, das equipes inchadas e da pouca pressão por resultados.

Apesar de toda segurança e proteção que tinha, sempre sonhou abrir um negócio e, depois de quase um ano de planejamento, pediu demissão e inaugurou um restaurante italiano com vinte mesas, pensando consigo mesmo: "É impossível dar errado, pois sou experiente, usei apenas capital próprio, contratei um jovem e talentoso chef, tenho muitos amigos, a localização é excelente, meu irmão que entende de vinhos trabalhará como chefe dos garçons, e minha esposa ficará no caixa e fará a contabilidade". Admitiu mais três auxiliares para cozinha, três garçons e uma pessoa para limpeza.

Na teoria, era quase tudo perfeito, porém um ano após a inauguração, apesar de boas críticas, continuava tendo prejuízo. Todo o valor da indenização já havia sido gasto e Carlos foi obrigado a pedir um empréstimo bancário.

Se não conseguisse obter lucro nos próximos seis meses, teria de fechar o restaurante, e ele não se conformava com o paradoxo: "Como é possível ter prejuízo com bom movimento?".

Carlos pediu ajuda para uma colega do emprego anterior que tinha feito um caminho parecido com o dele cinco anos antes e tem um restaurante muito lucrativo em outro bairro. Joana passou por muitos altos e baixos e nos últimos dois anos conseguiu deixar o negócio lucrativo. Ela não precisou mais que dois dias de observações para apontar o principal problema: o restaurante não tinha um líder, de fato. O chef, apesar de talentoso, é intratável, xinga os ajudantes o tempo todo, muda o cardápio sem avisar e, principalmente, desperdiça muitos alimentos por falta de planejamento.

O irmão bebe durante o trabalho e promove degustações gratuitas de vinhos caros, que os clientes adoram, mas que geram grande prejuízo. A esposa tem outras atividades profissionais e se atrasa ou falta com frequência. Além disso, alguns parentes e amigos não pagam a conta ou pedem para "anotar e cobrar mais tarde".

Carlos, por sua vez, é complacente demais com os funcionários e faz de tudo: ajuda na cozinha, serve mesas quando um garçom falta, faz o caixa, ajuda na limpeza e tenta mediar os conflitos entre todos. Além disso, tolera faltas, não consegue impor respeito e sente enorme dificuldade de comandar o irmão e a esposa.

Como tem pouco tempo, não faz cotações de preços e compra sem negociar com fornecedores, pagando sempre mais caro.

O pior é que está pagando empréstimo bancário com juros altos e tem vergonha de tentar uma renegociação. Ele é adorado por todos, o restaurante conquistou bom público, mas está praticamente falido.

E agora, o que fazer?

Você já passou por situações semelhantes ou conhece pessoas parecidas com Carlos?

Nesse caso, a dificuldade de impor limites e a tolerância com atitudes ruins são prejudiciais para o negócio e para os funcionários. Se uma única pessoa faz o trabalho pela metade, sobrecarrega as demais e cria insatisfação, em especial com os mais comprometidos, que quase certamente não tolerarão a situação por muito tempo.

Carlos é uma pessoa boníssima, mas precisará fazer ajustes em seu estilo.

Nos próximos capítulos, continuaremos a analisar o caso de Carlos.

Estilo 2 – Trator

A pessoa com o estilo trator em alta ou altíssima intensidade costuma ser exigente, determinada e franca. Quando a equipe responde bem à pressão, esse perfil de liderança tende a gerar bons resultados, pois todos sentem que há um comando claro. Os problemas começam quando o líder exagera na agressividade e na intolerância. Nesses casos, o gestor precisará ajustar sua maneira de ser, pois raramente alguém fica motivado com chefes rudes, que tratam mal e sem motivo seus subordinados.

Características comuns de quem tem o estilo trator predominante:

- Prefere pessoas independentes. Tende a valorizar subordinados proativos, pois não tem paciência para ensinar ou acompanhar detalhes da operação.
- Franco. Costuma ser direto e objetivo na maior parte do tempo.
- Dá pouca importância à opinião alheia. Normalmente diz o que pensa sem levar em consideração como será interpretado.
- Crítico. Percebe pequenas falhas no desempenho ou no comportamento dos subordinados e não tem receio de corrigir.
- Decidido. Tem opinião sobre quase tudo e age com firmeza.
- Impaciente. Tem senso de urgência e exige que todos ajam com rapidez.
- Focado em resultados. Dá muito mais importância aos resultados que ao ambiente de trabalho. Pressiona o tempo todo.
- Dominante. Gosta de comandar e deixa isso muito claro.
- Exigente. Exige dedicação e comprometimento constantes.
- Temperamento instável. Irrita-se com facilidade e passa do bom para o mau humor, e vice-versa, com frequência.

Quem tem esse estilo muito intenso costuma apresentar os seguintes pontos fortes e pontos fracos:

PONTOS FORTES	PONTOS FRACOS
Cria um ambiente competitivo	Pode gerar instabilidade
Gosta de comandar	Pode causar medo
Incansável na busca por resultados	Pode gerar alta rotatividade
É transparente	Pode ser grosseiro

Quem tem o estilo trator muito intenso costuma ter os seguintes pensamentos recorrentes no dia a dia:

- Preciso fazer com que as pessoas cumpram suas obrigações.
- É melhor ser temido do que amado.
- A vida é dura para quem é mole.
- Colocar pressão nas pessoas gera bons resultados.
- Quem está insatisfeito que se demita.

Dicas para ajustes:

- Procure fazer elogios a quem merece.
- Evite passar a imagem do líder que não se importa com as pessoas.
- Use pequenos erros dos subordinados como oportunidade de treinamento.
- Seus subordinados não deixarão de respeitá-lo se você for um pouco mais gentil.

Caso 2 – A durona

Silmara está com 35 anos e sempre foi uma guerreira. Órfã de pai desde os 8 anos e a mais velha de outras duas irmãs, precisou aprender a cuidar de si e das pequenas, pois a mãe trabalhava fora. Teve o primeiro emprego aos 12 anos como babá; aos 15, criou uma revistinha semanal no colégio em que estudava. Cursou faculdade de jornalismo, fez vários estágios, trabalhou em empresas de mídia e, finalmente, montou uma empresa de consultoria em marketing digital.

Como era muito competente e começou um negócio quase sem concorrência, cresceu com muita rapidez, chegou a ter trinta funcionários e ocupou um andar inteiro de um prédio comercial.

Passados três anos, a empresa começou a andar para trás e a dar prejuízo. O problema é que, por falta de equipe em decorrência da alta rotatividade, ela não consegue aceitar novos clientes. Nesse curto período, já contratou, perdeu ou demitiu mais de cinquenta pessoas.

Ninguém permaneceu mais que seis meses no cargo, por achar que Silmara, apesar de brilhante, é uma pessoa muito difícil de lidar. Além de ser bastante exigente, dá broncas em público – às vezes na frente dos clientes – e está sempre estressada e insatisfeita. Ela tem as seguintes reclamações com relação aos subordinados que estiveram (ou estão) na empresa:

- São pouco comprometidos com o trabalho.
- Têm pouca ou nenhuma ambição.
- Têm baixa tolerância e trocam de emprego por motivos banais.
- Com poucas semanas no cargo, querem aumento de salário ou condições especiais.
- São mimados e buscam uma babá, não um chefe.

Ela costuma dizer: "Vocês têm boas condições de trabalho, clientes interessados, recebem em dia e ainda reclamam que sou exigente? É muito mimimi... Sempre trabalhei duro, muitas vezes em situações precárias, com chefes medíocres e com salário miserável, pensando em aprender para ganhar mais no futuro. Quem quer ter sucesso precisa ser mais dedicado e tolerar frustrações, antes de receber recompensas".

Silmara tem razão em muitos de seus argumentos, mas as pessoas saem e ela começa outro círculo vicioso: seleção de currículos, longas entrevistas, negociação de salário, contratação, treinamento básico (que ela odeia fazer), tarefas malfeitas (segundo seu nível de exigência), broncas, impaciência e, por fim, demissão. O clima interno fica ruim, os clientes reclamam da mudança constante e ela se vê obrigada a atendê-los pessoalmente, ficando ainda mais sobrecarregada e irritada.

E agora, o que fazer?

Você já passou por situações semelhantes ou conhece pessoas parecidas com Silmara?

Nesse caso, excesso de agressividade, intolerância e impaciência acabam sendo prejudiciais para o negócio, em especial para ela mesma. Pense um pouco: quem consegue trabalhar motivado com um chefe que, apesar de competente, está sempre mal-humorado, insatisfeito e dá broncas homéricas por erros banais?

Silmara é pessoa admirável e exemplo de superação, mas seu comportamento está criando um clima ruim, e os mais capazes não toleram esse azedume por muito tempo.

Nos próximos capítulos, continuaremos a analisar como Silmara deveria agir para melhorar seu estilo de gestão.

Estilo 3 – Centralizador

A pessoa com o estilo centralizador em alta ou altíssima intensidade costuma ser organizada, sistemática e conservadora. Quando a equipe responde bem a alguém tão controlador, esse perfil de liderança costuma gerar bons resultados, pois as tomadas de decisão são seguras. Os problemas começam quando o líder parte para o microgerenciamento, exigindo que as pessoas façam o trabalho apenas da forma que ele deseja, não dando espaço para sugestões ou melhorias. Nesses casos, o gestor precisará ajustar sua maneira de ser, pois os subordinados tendem a se acomodar, já que não podem decidir quase nada. O objetivo é aprender a delegar algumas tarefas, sem correr muito risco.

Características comuns de quem tem o estilo centralizador predominante:

- Acumula muitas funções. Tende a ser "mão na massa" e prefere executar a maior quantidade possível de tarefas.
- Reservado. Não gosta de expor sua vida pessoal e evita opinar sobre assuntos que não sejam profissionais.
- Desconfiado. Normalmente confere várias vezes se o trabalho foi realizado como gostaria. Sempre que possível audita os resultados pessoalmente.
- Evita delegar. Executa as operações estratégicas e, se possível, até as operacionais.
- Sistemático. Tem uma metodologia rígida de trabalho, tanto para executar tarefas como para cumprir horários.
- Conservador. Evita ao máximo correr riscos na gestão do negócio.
- Prefere lidar com pessoas conhecidas. Tende a manter subordinados por muito tempo na empresa, desde que atuem como ele deseja.

- Gosta de ambientes sóbrios. Evita brincadeiras e distrações no dia a dia da empresa.
- Pouco emotivo. Evita demonstrar sentimentos.
- Temperamento estável. Oscila pouco e tem comportamentos previsíveis.

Quem tem esse estilo muito intenso costuma apresentar os seguintes pontos fortes e pontos fracos:

PONTOS FORTES	PONTOS FRACOS
Gera um ambiente previsível	Pode ser muito desconfiado
É "mão na massa"	Pode travar o dia a dia
Estipula regras claras	Pode criar burocracia em excesso
É estável	Pode gerar acomodação na equipe

Quem tem o estilo centralizador muito intenso costuma ter os seguintes pensamentos recorrentes no dia a dia:

- Se quer algo benfeito, faça você mesmo.
- O que engorda o boi é o olho do dono.
- Demoro para confiar em alguém.
- É melhor um pássaro na mão do que dois voando.
- Quero as coisas do meu jeito.

Dicas para ajustes:

- Procure delegar aos poucos.
- Evite passar a imagem do líder que não confia em ninguém.
- Aceite que as pessoas façam algumas tarefas do jeito delas.
- Seus subordinados não deixarão a empresa desorganizada se você confiar um pouco mais neles.

Caso 3 – O "Branca de Neve"

Martins começou a trabalhar em uma pequena loja de materiais de construção do tio aos 18 anos; comprou o negócio aos 30 anos; aos poucos foi crescendo e atualmente tem uma rede de cinco lojas do ramo. Hoje, aos 50 anos, está física e mentalmente esgotado. Com o passar do tempo, aprendeu a fazer de tudo: compra, venda, contabilidade, logística de entrega, instalação de equipamentos e até construção de pequenas casas para venda. Ele tem um bom patrimônio pessoal (casas para aluguel), fruto de 32 anos de trabalho árduo e de uma vida espartana.

O problema é que a maioria dos funcionários (em torno de cem pessoas entre vendedores, compradores, gerentes, motoristas, entregadores e equipe administrativa) tem mais de vinte anos de casa, está acomodada e totalmente dependente de Martins, que continua fazendo a maior parte das tarefas: atende os principais clientes, negocia com fornecedores, faz a contabilidade final, recebe reclamações e continua trabalhando quinze horas por dia, seis dias por semana e nunca tira férias, apesar das reclamações da esposa.

Martins virou refém da própria competência. Segundo a expressão criada pelo publicitário Julio Ribeiro, virou um "chefe Branca de Neve". Não que ele use vestido de princesa ou tenha comido maçã envenenada. Ele é um Branca de Neve por estar cercado de anões mentais: ninguém decide, sugere mudanças, capricha no atendimento, atende reclamações, economiza, ou se preocupa com o faturamento. Por que arriscar ou se dar ao trabalho se o Branca de Neve faz tudo sozinho?

Ele ouviu o diagnóstico sobre si e identificou e relacionou os funcionários com cada anão da fábula. Dunga é o mudinho, pois nunca abre a boca para nada e faz apenas o que mandam; Atchim aparece cada dia com uma doença diferente e se faz de coitado para não ser cobrado; Mestre diz que sabe tudo, conta histórias de seu passado glorioso, mas nada faz de relevante no presente; Zangado está sempre mal-humorado e, se cobrado, tende a ser agressivo; Soneca chega atrasado com frequência, não cumpre prazos e vive no mundo da lua; Dengoso sempre está ressentido, pois acha que nunca lhe dão o devido valor; Feliz é o ingênuo que todos exploram.

Seria cômico se não fosse triste. O comportamento centralizador de Martins infantiliza o funcionário, que acaba se acomodando. A justificativa é: "Eles são limitados", ou "Estão na empresa há muito tempo e acabaram se acostumando com meu jeito de ser", ou "Prefiro fazer de tudo um pouco para não correr riscos", ou "Sempre deu certo dessa forma", e assim por diante.

O preço por agir dessa maneira deixou Martins cada dia mais sobrecarregado e cansado. Para piorar o quadro, ele teve um infarto, ficou quase sessenta dias afastado da empresa e recebeu recomendações médicas para diminuir significativamente a carga de trabalho, fazer exercícios físicos e arrumar um hobby para aliviar o estresse. Ele não formou sucessor, e os dois filhos adultos se acomodaram debaixo da sombra do Branca de Neve dessa história maluca, que, desesperado, começou a contratar palestras "motivacionais" na esperança de que, ao ouvir outras historinhas infantis, seus anões despertassem da maldição.

Apesar de seu ótimo passado no negócio, de ser muito trabalhador e de ter uma reputação pessoal impecável, ele se deu conta de que o modelo de gestão atual está inviabilizando o negócio e que não tem mais saúde para manter o mesmo ritmo de trabalho.

E agora, o que fazer?

Você já passou por situações semelhantes ou conhece pessoas parecidas com Martins? Você tem anões mentais em sua equipe?

Não se esqueça de que, onde há anões, há sempre um chefe Branca de Neve. Nos próximos capítulos, continuaremos a analisar o caso de Martins e como ele pode agir para melhorar o desempenho de seu negócio.

Estilo 4 – Empreendedor

A pessoa com o estilo empreendedor em alta ou altíssima intensidade costuma ser ambiciosa e otimista e delegar com facilidade. Quando a equipe responde bem a essa autonomia, alguém com esse perfil de liderança tende a gerar bons resultados, pois as tomadas de decisões em grande parte são delegadas. Os problemas começam quando o líder abdica da gestão do dia a dia, deixando a equipe com a sensação de que ele está sempre ausente. Nesses casos, o chefe precisará ajustar sua maneira de ser, pois as pessoas podem perder a referência. O objetivo é participar mais da gestão, porém sem perder tempo com tarefas corriqueiras.

Características comuns de quem tem o estilo empreendedor predominante:

- Gosta de empreender. Procura oportunidades de negócios o tempo todo.
- Procura parceiros dedicados. Busca sócios que gostem de tocar o dia a dia dos negócios.
- Criativo. Tem boas ideias e costuma dar sugestões criativas para potencializar negócios antigos ou começar novos negócios.
- Escolhe delegar. Prefere tomar decisões estratégicas e delega a execução do dia a dia aos subordinados, sócios ou parceiros.
- Tem ótimo *network*. Como está sempre atento a novas oportunidades, procura manter uma numerosa rede de relacionamentos.
- Ousado. Aceita correr riscos em negócios que julga promissores.
- Percepção apurada. Tende a "ler" rapidamente as pessoas, identificando motivações, talentos e potencial de trabalho.
- Evita rotina. Não gosta de trabalhos rotineiros ou burocráticos.

- Convincente. Costuma usar o charme pessoal para convencer as pessoas de suas propostas.
- Antenado. Participa com frequência de feiras, congressos, treinamentos e palestras para estar bem informado e "garimpar" novas oportunidades de negócios.

Quem tem esse estilo muito intenso costuma apresentar os seguintes pontos fortes e pontos fracos:

PONTOS FORTES	PONTOS FRACOS
É dinâmico	Pode parecer superficial
É bem informado	Pode ser precipitado
É bom estrategista	Pode correr riscos exagerados
É ousado	Pode ser muito ausente

Quem tem o estilo empreendedor muito intenso costuma ter os seguintes pensamentos recorrentes no dia a dia:

- Cavalo encilhado não passa duas vezes.
- Quem não arrisca não petisca.
- Se quiser segurança, compre um terreno no cemitério.
- O mundo é dos ousados.
- Rotina é coisa de gente acomodada.

Dicas para ajustes:

- Procure interagir um pouco mais com sócios e subordinados.
- Evite tomar decisões importantes por impulso ou apenas por intuição.
- Evite correr riscos desnecessários.
- Seus sócios não ficarão dependentes se você for mais participativo.

Caso – A ousada

Mônica está com 30 anos, é a caçula de cinco irmãos e cresceu vendo os pais se matarem de trabalhar para dar conforto aos filhos. O pai trabalhou por trinta anos em uma grande indústria como operário, e a mãe como professora em uma escola municipal. Sempre pagaram aluguel e todo mês era um sufoco fechar as contas.

Os irmãos mais velhos começaram a trabalhar aos 14 anos em empregos braçais para ajudar a complementar a renda familiar e, exceto ela, ninguém cursou universidade.

Ela percebia as dificuldades financeiras da família e prometeu a si mesma que seria dona do próprio negócio, empregaria os irmãos e proporcionaria uma velhice confortável para os pais.

Sempre foi uma empreendedora nata: aos 15 anos, criou um sebo on-line que vendia e trocava livros usados; aos 17, criou uma pequena fábrica de cupcakes; aos 20, montou uma agência de empregos exclusivamente para jovens; aos 22, formou-se em administração de empresas e abriu uma agência que intermedeia o contato entre empreendedores e investidores. É seu maior sucesso.

Durante os últimos oito anos, ajudou a criar mais de cinquenta *startups* e foi sócia de sete que já fecharam ou foram vendidas. Atualmente é sócia, além da agência, de outras duas empresas com dois de seus irmãos: uma loja de roupas femininas em um shopping e uma empresa que reforma e rejuvenesce móveis residenciais.

O problema é que apenas a primeira empresa é lucrativa e paga as despesas das outras duas que ainda são deficitárias.

Ela continua recebendo propostas para criar outras sociedades promissoras, mas não tem tempo nem capital para começar algo novo e, como sempre investiu tudo o que tinha, ainda paga aluguel e está angustiada com o rumo que as coisas estão tomando, principalmente porque o sócio da empresa lucrativa acha que Mônica está perdendo recursos valiosos em negócios deficitários e deixando de dar prioridade ao que realmente vale a pena.

E agora, como agir?

Você já passou por situações semelhantes ou conhece pessoas parecidas com Mônica? Na prática, esse excesso de voluntarismo envolve muito risco e perda de foco. É excelente ter um estilo empreendedor, mas é preciso tomar muito cuidado para não querer abraçar o mundo. Um bom planejamento é fundamental para quem tem vontade, garra e determinação para criar negócios de alta performance.

Nos próximos capítulos, continuaremos a analisar o caso de Mônica.

Estilo 5 – Misto

Cerca de 30% dos indivíduos apresentam uma mescla de dois ou três estilos, que varia conforme o contexto profissional.

A pessoa pode apresentar, por exemplo, equilíbrio entre o estilo trator e o centralizador e, eventualmente, quando surge uma boa oportunidade de negócio, usar o estilo empreendedor com mais intensidade por alguns meses. Alguém também pode apresentar os estilos centralizador e protetor equilibrados, mas, sob pressão, demonstrar o estilo trator, por exemplo.

Se você tem perfil misto, tenderá a demonstrar características positivas e negativas de dois ou três estilos diferentes, e isso até poderá ser vantajoso, pois, como não há extremos, fica mais fácil aproveitar os pontos mais fortes de cada um.

Agora, antes de ler o próximo caso, analise se você percebe comportamentos com base na descrição dos quatro estilos já estudados.

Quais são as cinco características mais marcantes de seu estilo misto de liderança? (Leia a descrição dos quatro estilos para se basear.)

1. _____
2. _____
3. _____
4. _____
5. _____

Caso – O novato

Jaime está com 32 anos, é engenheiro-agrônomo e trabalhou como vendedor de defensivos agrícolas em uma multinacional dos 22 aos 31 anos. Sempre obteve ótimos resultados: bateu sua meta de vendas todos os anos, tinha ótimo relacionamento com clientes, colegas e chefes, e estava sendo preparado para assumir uma gerência regional.

Sua vida mudou há cerca de um ano, quando recebeu uma proposta para ser sócio minoritário (5%) de um antigo cliente (dono de várias empresas no agronegócio que somam mais de cinco mil funcionários) em uma rede de revendas de produtos agrícolas com quinze unidades. Ele trabalhava para uma empresa com mais de vinte mil colaboradores espalhados pelo mundo e passou a ser sócio minoritário de um negócio com pouco mais de duzentos funcionários. Para ganhar experiência, Jaime começaria a trabalhar como gerente de uma sucursal recém-inaugurada da empresa.

O salário fixo seria metade do que ele ganhava anteriormente, mas haveria comissões anuais que poderiam duplicar o valor total, além de uma distribuição de dividendos (relativa aos 5% de sociedade) a cada cinco anos. Ele aceitou o desafio, pois a empresa tinha bom conceito, era lucrativa e estava em fase de expansão.

Jaime nunca havia comandado alguém formalmente e estava acostumado com a estrutura e os benefícios de uma grande empresa. Ele precisaria contratar uma equipe do zero e prepará-la para obter ótimos resultados.

Ele tem um estilo de liderança misto, com equilíbrio entre centralizador e protetor, e um pouco de empreendedor.

Ele teve autonomia para fazer as contratações e trouxe, para trabalhar como vendedores, dois colegas do antigo emprego e aproveitou três *trainees* que já estavam na empresa. Além disso, selecionou mais cinco colaboradores para o trabalho interno.

Oito meses depois de começar a nova empreitada, as dificuldades com a equipe se tornaram cada vez maiores. Os dois colegas apresentam bom desempenho de vendas, mas não o veem como chefe, e cada um age como bem entende, já que as normas não estão claras: dão descontos exagerados, fornecem crédito sem conhecer todas as informações, não cumprem horários e acabam dando mau exemplo aos demais vendedores, que, por sua vez, não conseguem fechar negócios relevantes sem que Jaime os acompanhe.

A verdade é que Jaime trabalha mais como vendedor do que como gerente de um negócio rentável, mas de alto risco, pois depende de muitas variáveis incontroláveis (clima, sazonalidade, preços internacionais, concorrência aguerrida). A situação ainda não é grave, mas se ele não agir logo poderá perder o controle sobre a equipe, não atingir as metas e ainda colocar o negócio em risco.

E agora, como agir?

Nos próximos capítulos, continuaremos a estudar o caso de Jaime.

Para encerrar este capítulo, há um teste para que você possa analisar qual estilo é preponderante em sua personalidade. Você também poderá preenchê-lo no site <gentederesultados.com>.

Teste – Estilos de liderança

Sugiro que o teste a seguir seja preenchido com base naquilo que você efetivamente é, e não no que gostaria de ser, já que há uma tendência de superestimar nosso lado positivo. Portanto, responda com total sinceridade para que o diagnóstico seja preciso e realista.

Marque com que frequência (de 1 a 5) os pensamentos, os comportamentos ou as ações a seguir aparecem no seu dia a dia.

1 – Nunca
2 – Pouco
3 – Medianamente
4 – Muito
5 – Sempre

Estilo 1

_____ Tenho paciência para orientar.
_____ Sou compreensivo.
_____ Procuro criar um ambiente de trabalho acolhedor.
_____ Gosto de conhecer a vida pessoal de meus subordinados.
_____ Prefiro ouvir a opinião da maioria antes de decidir.
_____ Evito conflitos.
_____ Tenho dificuldade de criticar.
_____ Sou paternalista.
_____ Tolero alguns deslizes para evitar ser rude.
_____ Tenho fama de bonzinho.

Soma 1 – Estilo protetor _____

Estilo 2

_____ Tenho pouca paciência para orientar.
_____ Sou franco.
_____ Não me importa a opinião alheia a meu respeito.
_____ Sou intolerante.
_____ Sou decidido.
_____ Sou impaciente.
_____ Pressiono por resultados.
_____ Sou dominante.
_____ Sou exigente.
_____ Irrito-me com facilidade.

Soma 2 – Estilo trator _____

Estilo 3

_____ Sou racional.
_____ Sou reservado.
_____ Sou desconfiado.
_____ Tenho dificuldade em delegar.
_____ Sou sistemático.
_____ Sou conservador.
_____ Sou centralizador.
_____ Sou controlador.
_____ Prefiro decidir sozinho.
_____ Evito riscos.

Soma 3 – Estilo centralizador _____

Estilo 4

_____ Sou empreendedor nato.

_____ Gosto de ter sócios.

_____ Sou criativo.

_____ Prefiro, se possível, participar de vários negócios.

_____ Gosto de investimentos ousados.

_____ Tenho bom faro para negócios promissores.

_____ Delego com facilidade.

_____ Odeio rotina.

_____ Sou bom de relacionamento.

_____ Invisto tempo procurando novas oportunidades de negócios.

Soma 4 – Estilo empreendedor _____

Resultado Final

Intensidade de cada estilo de liderança em sua personalidade.

10 a 17   **Baixíssimo**
18 a 25   **Baixo**
26 a 33   **Médio**
34 a 41   **Alto**
42 ou mais **Altíssimo**

Agora preencha com seus dados e analise a intensidade (baixíssima, baixa, média, alta e altíssima) de cada estilo em sua personalidade:

Soma Estilo 1 – protetor   = _____
Soma Estilo 2 – trator   = _____
Soma Estilo 3 – centralizador   = _____
Soma Estilo 4 – empreendedor   = _____

- Pontuações acima de 34 indicam que o estilo é estrutural em sua personalidade e, portanto, uma característica muito marcante. Você deverá aproveitar ao máximo os pontos fortes e procurar atenuar, dentro do possível, os pontos fracos.
- Se nenhum estilo ultrapassar 33 pontos, há indicação de que você tem um estilo misto.

2
SWOT pessoal

Agora que você já conhece seu estilo de liderar, será preciso fazer uma autoavaliação criteriosa e detalhada. É muito difícil exigir mudança de atitude ou melhoria de desempenho dos subordinados se você não der exemplo e melhorar o que for possível e necessário.

Para tanto, sugiro a utilização da análise SWOT – Strengths (Forças), Weaknesses (Fraquezas), Opportunities (Oportunidades) e Threats (Ameaças).

A SWOT é uma ferramenta simples, prática e eficiente criada na década de 1960, por Albert Humphrey, em um projeto da Universidade Stanford. Foi pensada, inicialmente, para o planejamento estratégico de empresas de qualquer porte e em qualquer ramo. Conheci a SWOT em 1986, durante um exercício prático, com um grupo de diferentes áreas, visando colaborar com o planejamento estratégico da empresa em que eu trabalhava.

Fiquei empolgado com a ferramenta e perguntei ao consultor que conduzia a dinâmica se a metodologia poderia ser usada na análise pessoal. Ele me disse que nunca tinha aplicado o conceito (na época, os programas de *coaching* eram raros) para indivíduos, mas que provavelmente funcionaria bem. Desde então tenho utilizado a SWOT, de forma adaptada, também para analisar pessoas, com ótimos resultados, e é isso que faremos a seguir.

Torna-se indispensável uma autocrítica realista e sincera dos quatro pontos a seguir, para que você tenha um diagnóstico preciso. Vamos a eles:

a. Forças – Quais são seus pontos fortes? Qual é a parte positiva de seu estilo de liderança? O que você faz de melhor? O que seus subordinados, clientes e parceiros mais admiram em você?

b. Fraquezas – Quais são seus pontos fracos? Qual é a parte negativa de seu estilo de liderança? O que você menos gosta de fazer na empresa? O que seus subordinados, clientes e parceiros mais criticam em você? O que você precisa mudar com mais urgência?

c. Oportunidades – Quais oportunidades você teria para melhorar seu desempenho como gestor? Pode ser um treinamento impactante; um processo de terapia, *coaching* ou *mentoring*; um novo sócio; contratar alguém competente para dividir funções; participar de feiras e congressos que tragam novidades relevantes; fazer uma pós-graduação etc.

d. Ameaças – São situações que prejudicam seu desempenho como líder. Pode ser a entrada de um concorrente desleal em seu mercado; um chefe ou colega rancoroso;

doenças; problemas familiares que o desestabilizam; gastos imprevistos; ou ainda uma nova exigência que você não consiga cumprir.

Na teoria original (pensada para analisar empresas), forças e fraquezas têm relação com situações que dependem mais de você, enquanto oportunidades e ameaças são situações que envolvem outras pessoas ou processos externos. No modelo que adaptei para minhas consultorias, ou seja, a SWOT pessoal, em muitos casos oportunidades e ameaças dependem tanto de você quanto do ambiente externo.

Como exercício, preencha o quadro a seguir para sua SWOT pessoal:

Swot	POSITIVOS	NEGATIVOS
	PONTOS FORTES	PONTOS FRACOS
	1 - _____	1 - _____
	2 - _____	2 - _____
	3 - _____	3 - _____
	OPORTUNIDADES	AMEAÇAS
	1 - _____	1 - _____
	2 - _____	2 - _____
	3 - _____	3 - _____

Quanto menor a empresa ou mais enxuta a equipe, mais relevante a atuação do líder no dia a dia. Por isso, é importante que você prepare um plano de aprimoramento pessoal com base em sua SWOT.

Feita a autoanálise, chegou a hora de desenvolver um plano de ação com apenas seis itens:

AUTOCONHECIMENTO E ANÁLISE

O que será feito para:

Potencializar as forças
_____
_____
_____

Neutralizar ou atenuar as fraquezas
_____
_____
_____
_____

Aproveitar as oportunidades
_____
_____
_____
_____

Lidar com as ameaças
_____
_____
_____

Quando fará?
_____
_____

Como fará?
_____
_____
_____
_____

Para ilustrar, vejamos como seria a SWOT/plano de ação (em primeira pessoa) dos cinco personagens apresentados no capítulo 1.

Continuação do caso 1 – SWOT pessoal – Carlos, proprietário de restaurante

Forças – Bom relacionamento com todos; compreensivo; amável.

Fraquezas – Muito tolerante; indeciso; fujo de conflitos.

Oportunidades – Devo aprender a liderar.

Ameaças – Posso perder o negócio por falta de aptidão gerencial.

PLANO DE AÇÃO – O QUE SERÁ FEITO PARA:
Potencializar as forças – Preciso usar mais meu carisma para mediar conflitos e convencer as pessoas a se doarem mais.

Neutralizar ou atenuar as fraquezas – Preciso ser mais firme e decidido, pois a responsabilidade do negócio é minha.

Aproveitar as oportunidades – Conseguir um sócio com experiência no ramo que me ajude na gestão.

Lidar com as ameaças – Ou enfrento o desafio e imponho respeito ou perderei o que resta da autoridade que ainda tenho.

Quando fará? – Nos próximos trinta dias.

Como fará? – Proporei uma sociedade de 25% do negócio para Joana (antiga colega e bem-sucedida dona de outro restaurante). Se der tudo certo, abro mão de uma parte do negócio, mas consigo uma sócia competente. Como ela passou por problemas semelhantes e conseguiu dar a volta por cima, certamente poderá ajudar a consertar o meu negócio.

Continuação do caso 2 – SWOT pessoal – Silmara, sócia da empresa de consultoria em marketing digital

Forças – Decidida; raciocínio rápido; trabalhadora.
Fraquezas – Precipitada; intolerante; irrito-me com facilidade.
Oportunidades – Preciso melhorar minhas habilidades gerenciais.
Ameaças – Perder colaboradores de alto potencial para a concorrência.

PLANO DE AÇÃO – O QUE SERÁ FEITO PARA:
Potencializar as forças – Priorizar meu tempo em grandes clientes. Aproveitar melhor meus pontos positivos e dar exemplos práticos de como gostaria que minha equipe executasse as tarefas.

Neutralizar ou atenuar as fraquezas – Ser menos agressiva e um pouco mais tolerante.

Aproveitar as oportunidades – Ministrar alguns treinamentos para minha equipe, pois as pessoas parecem gostar de minhas explanações.

Lidar com as ameaças – Preciso reter e motivar minha equipe para melhorar meus processos, pois a cada dia há mais concorrentes fazendo trabalhos parecidos com o meu e cobrando menos.

Quando fará? – Imediatamente.

Como fará? – Preciso criar diferenciais difíceis de imitar, principalmente por meio de uma equipe tecnicamente excelente e com alto grau de comprometimento com o negócio e com os clientes. Para isso, preciso melhorar a forma como utilizo meu estilo de liderança.

Continuação do caso 3 – SWOT pessoal – Martins, dono da rede de lojas de materiais de construção

Forças – Organizado; confiável; tecnicamente competente.

Fraquezas – Desconfiado; centralizador; hoje fisicamente esgotado.

Oportunidades – A equipe parece mais disposta a colaborar, pois percebeu que estou doente e quase desistindo do negócio.

Ameaças – O histórico de acomodação de alguns subordinados talvez não tenha mais solução.

PLANO DE AÇÃO – O QUE SERÁ FEITO PARA:
Potencializar as forças – Preciso aproveitar melhor meu histórico de trabalho duro de mais de trinta anos na empresa como exemplo a ser seguido por meus colaboradores.

Neutralizar ou atenuar as fraquezas – Preciso aprender a delegar e dividir tarefas com meus subordinados.

Aproveitar as oportunidades – Preciso aproveitar o susto que tomei (infarto) e mudar de atitude.

AUTOCONHECIMENTO E ANÁLISE

Lidar com as ameaças – Preciso ser mais assertivo, pois já percebi que discursos puramente motivacionais, sem ações específicas, não resolverão meus problemas.

Quando fará? – Recebi alta médica na sexta-feira e na segunda-feira farei a reunião mais importante da minha vida com a equipe para definir mudanças.

Como fará? – Serei franco como nunca fui e mostrarei todos os dados financeiros dos últimos meses, que são péssimos. Imagino que a maioria, por minha culpa, não tenha ideia da gravidade da situação. Mudarei meu comportamento a partir dessa data e serei menos centralizador.

Continuação do caso 4 – Swot pessoal – Mônica, sócia majoritária de três empresas

Forças – Determinada; ambiciosa; disposta a aprender.

Fraquezas – Não tenho foco; corro muitos riscos; precipito-me na abertura de novas empresas.

Oportunidades – Percebi que ter negócios com sócios preparados é fundamental.

Ameaças – Dois sócios (meus irmãos) criaram dependência de minha presença constante.

PLANO DE AÇÃO – O QUE SERÁ FEITO PARA:

Potencializar as forças – Aprendo rápido com meus acertos, porém muito mais rápido com meus erros. Farei disso uma referência para investir tempo e energia apenas no que realmente vale a pena.

Neutralizar ou atenuar as fraquezas – Terei foco e antes de abrir qualquer outra empresa analisarei a situação com muito mais critério.

Aproveitar as oportunidades – Sou muito procurada e, por isso, posso escolher com mais calma as melhores opções de negócios.

Lidar com as ameaças – Existem áreas já saturadas e não devo gastar tanta energia para consertar o que não é viável.

Quando fará? – Já contratei uma consultoria com reputação impecável para analisar os dados financeiros e a viabilidade econômica das três empresas das quais sou sócia e terei os resultados em trinta dias.

Como fará? – Com os dados da consultoria em mãos, terei uma reunião com os sócios de cada empresa e exporei a situação para, então, tomar as decisões sobre o que fazer em cada caso.

Continuação do caso 5 – Swot pessoal de Jaime, gerente de revenda de produtos agrícolas

Forças – Sociável; organizado; tenho bom conhecimento técnico.

Fraquezas – Centralizador; prefiro fazer a mandar.

Oportunidades – Aprender a liderar melhor.

Ameaças – A equipe foi formada há pouco tempo e três dos cinco vendedores são inexperientes.

PLANO DE AÇÃO – O QUE SERÁ FEITO PARA:
Potencializar as forças – Melhorar ainda mais meu poder de persuasão para conquistar minha equipe de trabalho e novos clientes.

Neutralizar ou atenuar as fraquezas – Preciso ser mais direto e assertivo na comunicação com meus subordinados e aprender a delegar tarefas.

Aproveitar as oportunidades – Preciso aproveitar ao máximo minha primeira chance como líder, pois como comecei o trabalho há pouco tempo, ainda haverá alguma tolerância com minha falta de experiência.

Lidar com as ameaças – Como tenho dificuldade de comandar, preciso estudar detalhadamente o perfil individual de cada um de meus subordinados para gerenciá-los melhor.

Quando fará? – Já comecei um processo de *mentoring* com um profissional conceituado e experiente.

Como fará? – Já fiz três módulos teóricos de um treinamento em gestão de pessoas e, nos próximos seis meses, terei encontros mensais com um mentor que me aconselhará na execução das tarefas mais relevantes. Ele já fez um trabalho semelhante com o sócio majoritário da empresa e os resultados foram ótimos.

Nos próximos capítulos, continuaremos a estudar a evolução dos casos.

A SWOT de nossos personagens o ajudou a fazer a sua? Conseguiu identificar seus pontos fortes, seus pontos fracos, suas oportunidades e suas ameaças? Já sabe por onde começar seu processo pessoal de ajustes?

Agora que você já tem uma análise criteriosa a seu respeito, veremos, na sequência, como analisar a SWOT de sua empresa ou de seu negócio.

3
SWOT empresarial

A ferramenta SWOT também deverá ser utilizada para analisar sua empresa e, graças à simplicidade, poderá ser realizada mais de uma vez por ano, para se adaptar às constantes mudanças de um país complexo como o Brasil.

Para uma boa gestão de sua equipe, você precisará analisar as condições atuais do negócio. Falta de informações ou empresa bagunçada desmotivam qualquer um, principalmente profissionais talentosos, pois para trabalhar motivada a pessoa precisa saber até que ponto vale a pena investir esforço e energia.

Essa análise funciona para pequenas empresas, para quem trabalha em companhias de médio ou grande porte, mas lidera uma equipe, e também para microempreendedores que anseiam obter melhores resultados em seus negócios.

Repito: é fundamental ser realista, pois uma abordagem muito otimista ou pessimista afetará a correta tomada de decisões.

Façamos a análise:

a. Forças – Quais são os pontos fortes da empresa? O que ela tem de diferente? O que os clientes mais elogiam? Pode ser produto ou serviço difícil de imitar; clientela fiel; boa localização; equipe impecável; serviço excelente; logística rápida; preço competitivo; alta margem de lucros; mercado de difícil acesso para a concorrência; distribuição exclusiva de um bom fornecedor etc.

b. Fraquezas – Quais são os pontos fracos do negócio? O que costuma causar problemas ou prejuízos constantes? O que seus clientes mais criticam? Pode ser produto ultrapassado; localização ruim; preço pouco competitivo; alta rotatividade de pessoal; equipe destreinada; baixa capacidade de investimento; falta de preparo ou relacionamento ruim entre sócios; endividamento excessivo etc.

c. Oportunidades – Quais oportunidades você teria para alavancar o negócio? Isso costuma ter relação com fatores externos, como falência de um concorrente importante; novo fornecedor; grande cliente insatisfeito com a concorrência; interesse de investidores em seu segmento de mercado; aparecimento de novas tecnologias; nova metodologia de trabalho; nova legislação mais favorável; treinamento externo para melhorar a gestão de sua equipe etc.

d. Ameaças – São os riscos à continuidade do negócio. Pode ser entrada de um concorrente poderoso; desenvolvimento de um novo produto a que você não tenha acesso; descoberta de uma nova tecnologia que mude as regras atuais; pirataria de seus produtos; falta de mão de obra qualificada; aumento de impostos; ou uma elevação de custos que você não consiga acompanhar.

Em geral, os pontos fortes e fracos estão dentro da própria empresa, enquanto as oportunidades e ameaças são situações de mercado. Se feita com critério e profundidade, a análise SWOT lhe dará informações valiosas para planejar ações que aumentem as chances de sucesso da sua empresa.

Como exercício, preencha o quadro a seguir:

Swot	POSITIVOS	NEGATIVOS
Internos (Organização)	PONTOS FORTES 1 – _____ 2 – _____ 3 – _____	PONTOS FRACOS 1 – _____ 2 – _____ 3 – _____
Externos (Ambiente)	OPORTUNIDADES 1 – _____ 2 – _____ 3 – _____	AMEAÇAS 1 – _____ 2 – _____ 3 – _____

O momento mais delicado em uma consultoria é quando o cliente me mostra a SWOT da empresa, pois na maioria das vezes é quando ele se dá conta do tamanho do desafio que terá de enfrentar. Normalmente, o choque inicial logo é substituído por certo alívio, já que agora o quadro, por mais delicado que seja, está claro, e, portanto, será possível traçar estratégias com muito mais chance de sucesso.

Você provavelmente também está mais motivado para começar os ajustes. No entanto, escreva apenas o que realmente pretende fazer, pois planos fantasiosos ou inexequíveis não duram muito tempo e desanimam seu autor. Por isso, minha sugestão é que você seja ousado, mas realista. Vamos às ações?

AUTOCONHECIMENTO E ANÁLISE

O que será feito para:

Potencializar as forças
_____
_____
_____
_____
_____

Neutralizar ou atenuar as fraquezas
_____
_____
_____
_____
_____

Aproveitar as oportunidades
_____
_____
_____
_____
_____

Lidar com as ameaças
_____
_____
_____
_____
_____

Quando fará?
_____
_____

Quem fará?
_____
_____

Como fará?
_____
_____
_____
_____
_____
_____
_____

Vejamos como seria a SWOT/plano de ação (em primeira pessoa) das empresas dos cinco personagens, cujas histórias foram relatadas nos capítulos anteriores.

Continuação do caso 1 – SWOT do restaurante de Carlos

Forças – O restaurante tem bom movimento, é bem localizado, e as pessoas o recomendam.

Fraquezas – O custo da operação é alto e há muitos conflitos internos.

Oportunidades – Transformar o sucesso de público em lucro. Fiz uma proposta para uma colega ser sócia de 25% do negócio para ela me ajudar na gestão. Ela pediu 40% e acabamos fechando em 33%. Tenho certeza de que juntos faremos a virada.

Ameaças – Um novo restaurante será inaugurado na mesma rua em no máximo seis meses.

PLANO DE AÇÃO – O QUE SERÁ FEITO PARA:

Potencializar as forças – Criar páginas em mídias sociais e divulgar depoimentos dos clientes, vídeos com o preparo dos pratos, novidades do cardápio etc.

Neutralizar ou atenuar as fraquezas – Cortar custos, simplificar a carta de vinhos e diminuir a quantidade de opções do cardápio, pois o desperdício é muito grande.

Aproveitar as oportunidades – As pessoas provavelmente aceitarão um menu mais enxuto, porém de alta qualidade e que ofereça alimentos frescos.

Lidar com as ameaças – Promover uma gestão impecável, antes que o novo restaurante concorrente comece a funcionar.

Quando fará? – Nos próximos trinta dias.

Quem fará? – Eu mesmo, com o apoio de minha nova sócia.

Como fará? – Cerca de 70% dos pedidos englobam cinco dos trinta pratos do cardápio. Isso significa que temos campeões de venda e outros que vendem pouco ou nada. Podemos valorizar esses cinco pratos; locar o restaurante para eventos sociais e corporativos; montar um bufê especial no almoço e assim por diante.

Sugestões complementares para Carlos fazer ajustes:

1. Analise detalhadamente todas as outras despesas, além do custo dos alimentos: aluguel, água, luz, telefone, propaganda, salários, pró-labores, juros etc.

2. Renegocie a taxa de juros com os bancos, pois eles preferem diminuir os ganhos a ver o negócio falir e não receber nada. Tente também diminuir o valor do aluguel, reduzir o pró-labore, cortar despesas no limite do possível.
3. Abra o jogo com toda a equipe e exponha o resultado, que, no caso, é deficitário, e deixe claro que ajustes serão necessários.
4. Isso feito, chame cada pessoa para uma conversa e diga com clareza o que cada um precisa fazer imediatamente. A esposa e o irmão deverão ter uma rotina 100% previsível. O chef deverá se reportar à nova sócia. Faltas, grosserias e indisciplina não podem ser toleradas.
5. Defina um prazo de, no máximo, trinta dias para as mudanças e prepare, de antemão, um plano para substituição das pessoas que não quiserem ou não conseguirem se ajustar às novas situações. O maior desafio, na prática, será montar um time com pessoas talentosas e comprometidas.

Continuação do caso 2 – SWOT da empresa de consultoria em marketing digital de Silmara

Forças – Negócio altamente promissor, mas com gestão amadora.

Fraquezas – Dependo de uma equipe competente, mas não estou conseguindo reter as pessoas.

Oportunidades – Como já realizei ótimos trabalhos, recebo várias indicações e tenho muitos clientes potenciais solicitando propostas.

Ameaças – Não tenho funcionários disponíveis para atender novas demandas e estou perdendo espaço para a concorrência.

PLANO DE AÇÃO – O QUE SERÁ FEITO PARA:
Potencializar as forças – Darei uma atenção ainda maior aos clientes que já obtiveram sucesso, a fim de conseguir sua fidelização.

Neutralizar ou atenuar as fraquezas – Contratarei pessoas mais dispostas a trabalhar sob pressão e procurarei ser mais tolerante.

Aproveitar as oportunidades – Como há uma grande demanda, aumentarei meu preço para selecionar clientes mais lucrativos. Com isso poderei remunerar melhor minha equipe.

Lidar com as ameaças – Como poderei pagar um salário melhor, contratarei duas pessoas experientes que trabalham na concorrência. Ganharei tempo e terei resultados quase imediatos.

Quando fará? – Imediatamente.

Quem fará? – Eu mesma.

Como fará? – Fechei dois grandes projetos com novos clientes (há mais dois em negociação) e já fiz proposta para dois profissionais com ótimo currículo fazerem parte da equipe.

Sugestões complementares para Silmara fazer ajustes:
1. Comece a selecionar pessoas com histórico de vida parecido com o seu: gente que veio de baixo e trabalhou duro desde a adolescência. Pessoas com baixa tolerância a frustrações não se adaptarão ao seu estilo de gestão.
2. Invista tempo para ensinar. Pessoas exigentes, como é seu caso, têm um estilo muito peculiar de fazer as coisas. Você deve aproveitar melhor sua *expertise* treinando pessoas com pouca ou nenhuma experiência. Dará mais trabalho, porém elas tenderão a se adaptar melhor ao seu estilo.

3. Seja mais paciente. Poucos têm sua resistência para o trabalho ou aprendem tão rápido quanto você gostaria. Se tiver paciência com os mais talentosos, colherá bons resultados.
4. Equilibre a dosagem de críticas/elogios. Não se esqueça de que seus funcionários tratarão os clientes conforme forem tratados por você; por isso, procure equilibrar a intensidade das críticas e faça elogios, quando merecidos. Não se trata de bancar a boazinha, mas de demonstrar que você se preocupa genuinamente com o desenvolvimento de seus subordinados.
5. Se ainda assim tiver dificuldade de formar uma equipe de alta performance, dê um passo para trás. Diminua a equipe e tenha pessoas que pensem e ajam parecido com você. Gente muito exigente às vezes fica mais à vontade e produtiva com um grupo restrito e de alto impacto. Você precisará diminuir o número de clientes, mas ganhará em qualidade e eficácia.
6. Uma vez fortalecida a equipe, poderá recomeçar o processo de novas contratações para só então pensar em crescer novamente.

Continuação do caso 3 – SWOT da rede de lojas de materiais de construção de Martins

Forças – Histórico de empresa com ótima reputação.

Fraquezas – Extrema dependência de minha atuação no dia a dia.

Oportunidades – Todos os concorrentes locais estão com dificuldades financeiras e também com equipes medíocres.

Ameaças – Há empresários de sucesso em outras áreas interessados em abrir lojas ou comprar o negócio de concorrentes em dificuldades.

PLANO DE AÇÃO – O QUE SERÁ FEITO PARA:

Potencializar as forças – Usar o histórico positivo da empresa para energizar a equipe e melhorar o faturamento.

Neutralizar ou atenuar as fraquezas – Parar de fazer tudo sozinho e dividir as responsabilidades.

Aproveitar as oportunidades – Nossos fornecedores nos apoiarão com treinamentos sobre seus produtos e reforçarão campanhas de vendas para nos ajudar.

Lidar com as ameaças – Se não conseguir melhorar o desempenho, tentarei negociar a entrada de um sócio ou vender a empresa por um valor justo.

Quando fará? – Imediatamente.

Quem fará? – Eu mesmo.

Como fará? – Terei uma conversa franca com todos os funcionários e estipularei metas individuais de desempenho. Investirei em treinamentos e, principalmente, darei mais autonomia a quem tiver maturidade.

Sugestões complementares para Martins fazer ajustes:

1. Reúna a equipe e abra o jogo. Mostre que seu estilo demasiadamente centralizador está destruindo sua saúde, e os maus resultados financeiros dos últimos meses podem inviabilizar a empresa se continuarem a ocorrer.
2. Comece a delegar tarefas operacionais e, aos poucos, treine as pessoas para assumir algumas de suas atribuições. No começo, a empresa pode ficar um pouco bagunçada, mas faz parte da cura. Alguns resmungarão, outros

tentarão aprender, cometerão erros e quase certamente destaques surgirão.
3. Valorize aqueles que conseguirem bons resultados (pequenos bônus em dinheiro, folga extra ou treinamento especial fora da empresa) e afaste quem sabotar o processo ou fizer corpo mole.
4. Diminua sua carga de trabalho e aceite que as coisas não serão feitas exatamente como você faria.
5. Defina um prazo para que o negócio seja autossustentável, ou seja, que você não tenha de cobrir prejuízos ou fazer tarefas que caberiam a outras pessoas.
6. Só depois de terminar o choque de gestão é que você deverá analisar se vale a pena ter um sócio ou vender a empresa. Bons negócios são muito mais atrativos.

Continuação do caso 4 – SWOT das empresas das quais Mônica é sócia

Loja de roupas femininas em um shopping

Forças – Júlia, minha sócia e irmã, é trabalhadora, dedicada e interessada em que o negócio dê certo.

Fraquezas – Tenho pouco tempo disponível e Júlia tem pouca experiência no ramo.

Oportunidades – O ponto é ótimo, o shopping tem alto fluxo de clientes e a marca que vendemos tem boa procura.

Ameaças – Há muitas outras lojas com produtos semelhantes no mesmo piso. A crise financeira prejudicou as vendas da maioria, mas há outras lojas indo bem.

PLANO DE AÇÃO – O QUE SERÁ FEITO PARA:

Potencializar as forças – Júlia fará um treinamento intensivo na sede da franqueadora e depois visitará lojas bem-sucedidas da grife.

Neutralizar ou atenuar as fraquezas – Depois do treinamento, faremos ajustes na gestão.

Aproveitar as oportunidades – A economia está reaquecendo, a direção do shopping está investindo em campanhas promocionais.

Lidar com as ameaças – Monitoraremos os resultados dos concorrentes para ficar sempre um passo à frente deles.

Quando fará? – Imediatamente.

Quem fará? – Minha sócia e eu.

Como fará? – Após a imersão e os treinamentos, faremos todas as mudanças necessárias.

Marcenaria especializada em renovação de móveis

Forças – Joaquim, meu sócio e irmão, têm mais de quinze anos de experiência como marceneiro de móveis planejados e faz um trabalho de restauração impecável. Com apenas dois anos de empresa, temos muitas indicações de clientes satisfeitos.

Fraquezas – Ele é mau negociador: vende o serviço barato e paga caro pelo material de trabalho.

Oportunidades – Ainda há poucos concorrentes nessa modalidade de trabalho e há muita demanda de novos clientes.

Ameaças – Há muita gente prestando atenção nesse segmento e com planos de abrir negócios semelhantes ao nosso.

PLANO DE AÇÃO – O QUE SERÁ FEITO PARA:

Potencializar as forças – Focar o trabalho do meu sócio apenas no que ele já é muito bom e começar a treinar pessoas com alto potencial.

Neutralizar ou atenuar as fraquezas – Contratar vendedores de alta performance para negociar melhor. Colocar outra pessoa da empresa para comprar o material.

Aproveitar as oportunidades – Aproveitar que ainda há pouca concorrência e fazer um trabalho de divulgação mais agressivo em mídias sociais; gravar depoimentos de clientes satisfeitos e mostrar vídeos antes e depois das reformas.

Lidar com as ameaças – Precisamos aumentar nossa produtividade e eficiência, pois os potenciais concorrentes são totalmente informais, não pagam impostos e com isso oferecerem preços mais baixos que os nossos.

Quando fará? – Imediatamente.

Quem fará? – Meu sócio e eu.

Como fará? – Já começamos a procurar outros profissionais para complementar a equipe de trabalho.

Agência de intermediação de negócios

Forças – A empresa atrai cada vez mais interessados e temos fama de corretos e competentes.

Fraquezas – Não estamos conseguindo atender toda a demanda.

Oportunidades – Temos colaboradores talentosos que podem atrair gente de alto potencial para trabalhar conosco.

Ameaças – A concorrência está de olho em nossa equipe.

PLANO DE AÇÃO – O QUE SERÁ FEITO PARA:
Potencializar as forças – Prestar um serviço ainda melhor.

Neutralizar ou atenuar as fraquezas – Contratar mais pessoas para atender à demanda.

Aproveitar as oportunidades – Delegar mais responsabilidades para nossos melhores colaboradores.

AUTOCONHECIMENTO E ANÁLISE

Lidar com as ameaças – Melhorar a remuneração e aumentar a autonomia de nossos talentos para evitar perdê-los.

Quando fará? – Imediatamente.

Quem fará? – Meu sócio e eu.

Como fará? – Já começamos a procurar outros profissionais para complementar a equipe de trabalho.

Sugestões complementares para Mônica fazer ajustes:

1. Pare de abrir novas empresas. Não adianta usar seu escasso tempo com a abertura de novos negócios enquanto não ajustar os atuais. Quem não consegue definir prioridades acaba se tornando refém das circunstâncias e escravo da "fome" de empreender sem controle e sem planejamento.
2. Analise detalhadamente a viabilidade das duas empresas deficitárias. Há chance de recuperação ou é melhor fechar antes que os prejuízos aumentem?
3. Analise se o sócio que administra cada empresa tem competência ou precisa ser trocado. Muitas vezes, o empreendimento é promissor, mas o líder do negócio é inepto. Pode ser melhor manter seus irmãos como sócios, mas fora do comando.
4. Faça todos os ajustes necessários – feche ou corrija as empresas deficitárias e melhore o desempenho das lucrativas – antes de começar a planejar o próximo empreendimento.
5. A partir de agora, comece a ter mais rigor na escolha de novos sócios e novos negócios. Muitas vezes, o projeto é excelente e o idealizador é criativo, mas péssimo executor. Bons negócios exigem bons gestores.

Continuação do caso 5 – Swot da revenda de produtos agrícolas de Jaime

Forças – Boa reputação; lucrativa; ótima linha de produtos.

Fraquezas – A empresa cresceu muito rapidamente e não está conseguindo formar bons profissionais. Para sustentar o crescimento, está sendo obrigada a contratar mais pessoas.

Oportunidades – Há novos fornecedores oferecendo seus produtos. Há muitos clientes que não conhecem a empresa na região.

Ameaças – A venda de defensivos agrícolas é atividade de alto risco. O principal concorrente já está na região há mais de dois anos.

PLANO DE AÇÃO – O QUE SERÁ FEITO PARA:

Potencializar as forças – Fazer grande número de campos de demonstração para exibir o modo de ação dos principais produtos da empresa.

Neutralizar ou atenuar as fraquezas – Promover treinamentos técnicos e comportamentais intensivos com a nova equipe para acelerar a curva de aprendizado.

Aproveitar as oportunidades – Grandes fornecedores estão buscando novos distribuidores; portanto, há uma boa chance de conseguir exclusividade na venda de produtos especiais, o que traria grande vantagem competitiva.

Lidar com as ameaças – Fazer uma análise de crédito ainda mais criteriosa na nova área de atuação.

Quando fará? – Já comecei a fazer.

Quem fará? – A maior parte das ações será de minha responsabilidade.

Como fará? – Treinarei pessoalmente minha equipe para executar as tarefas mais importantes e farei o acompanhamento no dia a dia.

Sugestões complementares para Jaime fazer ajustes:
1. Antes de começar os treinamentos, verifique por meio de testes qual o conhecimento técnico de cada um sobre os principais produtos da empresa. A avaliação não deve ser punitiva, mas fonte de referência para preparar conteúdos adequados.
2. Elabore o conteúdo dos treinamentos com base nas necessidades da equipe. Treinamento muito básico é perda de tempo para quem já tem muita experiência, e muito avançado acaba tendo pouco efeito para quem não domina o assunto.
3. Delegue tarefas e cobre resultados dos dois subordinados mais experientes e acompanhe de perto os três ex-*trainees* que ainda estão inseguros. Deixe claras as regras, como: horários, prazos para entrega de relatórios, número de visitas a clientes, meta de vendas, montagem e execução de campos de demonstração, requisitos para concessão de crédito etc.
4. Promova palestras técnicas gratuitas (funcionamento de novos produtos, novas práticas agrícolas ou assuntos de interesse regional) para potenciais clientes, ministradas por profissionais renomados. O objetivo desses eventos será demonstrar que sua empresa (que é nova para eles) fará um trabalho de alto nível.
5. Foque o trabalho dos primeiros meses principalmente na assistência técnica e no acompanhamento da aplicação de seus produtos. Muitos vendedores prometem um bom acompanhamento técnico para os agricultores na hora de tirar o pedido, mas só aparecem no fim da safra para fazer a cobrança. Faça do compromisso de assistência uma marca de sua empresa.

No próximo capítulo, veremos os principais perfis profissionais e onde cada um deles pode se encaixar melhor.

4
Perfis profissionais – Qual o lugar certo para cada um deles?

A pessoa que viaja pelo oceano afora muda de céu, mas não de alma.
HORÁCIO

Agora que você já fez a análise SWOT pessoal e a empresarial, chegou a hora de entender os três grandes perfis profissionais. Em geral, um dos perfis é predominante, pois o cérebro nos "obriga" inconscientemente a priorizar um roteiro de ações que nos deixe mais confortável.

Como já vimos, temos comportamentos estruturais que mudam pouco durante a vida, mas que podem ser aperfeiçoados por meio do acabamento (aprimoramento). Nenhum perfil é melhor que o outro; contudo, há funções, tarefas ou trabalhos que se encaixam melhor para cada um deles. Há mais de vinte anos, como base para analisar os perfis profissionais, uso parte da descrição dos modelos de mundo: visual, auditivo e cinestésico (que, inclusive, utilizei de forma mais ampla em meu primeiro livro, *Por que a gente é do jeito que a gente é?*, que mostra como as pessoas percebem o mundo a sua volta).

Identificar os perfis será útil para você se conhecer melhor e, principalmente, ajudará a posicionar seus subordinados em cargos ou funções para os quais eles tenham mais aptidão. Vamos a eles.

Perfil 1 – Técnico

Pessoas com o perfil técnico predominante são introvertidas, organizadas, falam pouco e são boas ouvintes. Tendem a trabalhar melhor com processos, números e análises em silêncio do que lidando com público ou sendo sociáveis.

Características comuns de quem tem o perfil técnico predominante:
- Tímido. Relaciona-se com poucas pessoas tanto no trabalho como na vida pessoal.
- Prefere regras claras. Gosta de trabalhar em funções estáveis e com procedimentos bem definidos.
- Prefere remuneração fixa. Gosta de saber o valor exato da remuneração (inclusive benefícios) e reluta em aceitar salários variáveis.
- Disciplinado. Prefere cumprir ordens a comandar.
- Fala pouco. Participa pouco de conversas de bastidores, pois elas tendem a desconcentrá-lo.
- Não gosta de mudanças. Evita mudar de emprego ou função a não ser que esteja em situação insuportável.
- Prefere rotina. Sente-se à vontade com um roteiro de trabalho estável e previsível.
- Faz uma coisa de cada vez. Fica estressado quando precisa fazer várias tarefas ao mesmo tempo.
- Previsível. Costuma ser estável e prefere trabalhar em ritmo lento, mas constante.
- Evita ambientes agitados. Trabalha melhor em silêncio e se incomoda com pessoas agressivas ou impacientes.

Quem tem esse perfil muito intenso costuma apresentar os seguintes pontos fortes e pontos fracos:

PONTOS FORTES	PONTOS FRACOS
É bom cumpridor de ordens	Pode ter pouca iniciativa
É organizado	Pode ser inflexível
É cuidadoso	Pode demonstrar insegurança
É estável	Pode ser lento

Lugar ideal e como lidar com alguém de perfil técnico:

As pessoas com perfil técnico predominante dão mais valor a atividades que envolvem muita concentração e pouco relacionamento. Por isso, sentem-se mais confortáveis em lidar com tarefas do que com pessoas. Quando estiverem falando (o que é raro), estimule-as fazendo perguntas, mas evite pressioná-las por respostas rápidas.

No dia a dia, costumam ser discretas e organizadas, o que não quer dizer que estejam motivadas. Por isso, sempre que possível, dê feedbacks sobre a qualidade do trabalho que estão executando e peça sugestões de melhorias. Como são detalhistas, quase sempre terão observações interessantes.

Não são boas de relacionamento, têm dificuldades de atender clientes externos e não trabalham bem sob pressão. Portanto, não force a barra e contrate alguém assim para trabalhos que demandem silêncio, concentração e estabilidade.

Quando posicionado na função certa, é o perfil que tende a permanecer mais tempo no emprego. Você terá consistência em detrimento de velocidade e relacionamento.

Caso – Nadando a favor da correnteza

Silvana tem 22 anos, está terminando a graduação em direito e sente-se deslocada tanto na faculdade como na empresa em que faz estágio, por ser muito tímida e reservada. Já tentou fazer alguns cursos de oratória e aulas de teatro para ser menos inibida, mas pouco adiantou, e ela está frustrada, pois gostaria de ser como alguns colegas, animados e populares. Durante as férias, tentou trabalhar como vendedora em uma loja de roupas, mas tinha vergonha de abordar os clientes e em menos de um mês pediu demissão.

Para sua surpresa, um dos sócios do escritório de advocacia em que estagia a chamou para uma conversa:

— Oi, Silvana, o que achou do trabalho?

— Eu gostei, aprendi bastante, mas acho que contribuí pouco.

— Por que acha isso?

— Tenho vergonha de opinar nas reuniões, não consigo atender os clientes tão bem como vocês e acho que só sirvo para trabalhos burocráticos.

— Realmente você é tímida, mas em compensação é observadora, detalhista, organizada e, principalmente, escreve muito bem.

— Nossa, mas deve haver centenas de pessoas como eu ou melhores.

— Trabalho há dez anos como advogado, sou extrovertido, sociável, e consigo trazer muitos clientes para o escritório, mas sou desorganizado, impaciente e pouco detalhista. Para ser sincero, você, em seis meses, aprendeu a escrever petições melhores que as minhas.

— É mesmo? Pensei que elogiava meus trabalhos por educação.

— Não foi para ser gentil, foi para motivá-la a continuar produzindo com qualidade, e você superou as expectativas dos três sócios. Nossos últimos dez estagiários fizeram mais o papel de office-boys do que de advogados, talvez por nossa culpa e falta de atenção. Você aprendeu praticamente sozinha e complementou o trabalho de nós três. Gostaria de trabalhar conosco?

— Vocês não se importam em ter uma funcionária tão calada e quase antissocial como eu?

— Nós, os três sócios, falamos bastante, temos outros três funcionários bons de relacionamento, mas ninguém escreve tão bem quanto você. Se aceitar nossa proposta, está autorizada a entrar muda e sair calada, todos os dias. (risos)

— Nunca me senti tão valorizada. Aceito a proposta com prazer; vocês não se arrependerão. Acho que vou parar de tentar ser sociável e me voltar ao que realmente faço bem, que é trabalhar quieta e concentrada.

Silvana felizmente contou com chefes que perceberam seu potencial e, em vez de tentar mudá-la, procuraram aproveitar o que tinha de melhor.

Se você tiver subordinados com perfil técnico, como é o caso de Silvana, procure aproveitar suas características mais marcantes, como organização, disciplina e concentração. É difícil que trabalhem motivados em funções que exijam muita comunicação. Eles são calados, mas bastante produtivos quando aproveitados no lugar certo.

Perfil 2 – Acelerado

Pessoas com o perfil acelerado predominante são impacientes, agitadas, diretas e determinadas. Trabalham bem sob pressão, têm dificuldade de lidar com pessoas lentas, são dinâmicas e enérgicas.

Características comuns de quem tem o perfil acelerado predominante:

- Independente. Prefere trabalhos em que tenha liberdade e autonomia.
- Ansioso. Não tem paciência para esperar resultados em longo prazo.
- Determinado. Normalmente faz o trabalho sem receio de enfrentar problemas ou desafios.
- Ambicioso. Focado em resultados e dificilmente acomodado.
- Prefere salário variável. Gosta de ganhar por produtividade (comissão).
- Impaciente. É agitado, fala rápido e tem pressa para quase tudo.
- Trabalha bem por empreitada. Dá mais importância ao resultado do que ao relacionamento. Por isso aceita trabalhos por períodos curtos.
- Aguerrido. Tem personalidade forte e luta por suas ideias.
- Impulsivo. Muitas vezes age por impulso.
- Franco. Expõe com firmeza seus pontos de vista.

Quem tem esse perfil muito intenso costuma apresentar os seguintes pontos fortes e pontos fracos:

PONTOS FORTES	PONTOS FRACOS
Competitivo	Pode intimidar os colegas
Prático	Pode ser precipitado
Focado em resultados	Pode gerar conflitos
Faz várias tarefas ao mesmo tempo	Pode ser instável

AUTOCONHECIMENTO E ANÁLISE

Lugar ideal e como lidar com alguém de perfil acelerado:

Pessoas com esse perfil predominante preferem funções que exijam atuação dinâmica e resultados em curto prazo. Têm pouco a ver com trabalhos que demandem concentração, paciência e organização.

Elas dão muito valor a autonomia e liberdade para agir. São diretas, impacientes e ambiciosas. Portanto, seja franco na entrevista de seleção e não aumente as expectativas prometendo crescimento rápido ou remuneração crescente se isso for pouco provável, pois elas ficarão frustradas e pedirão demissão em pouco tempo.

É o perfil mais difícil de reter e motivar, pois está sempre com "fome" (remuneração, aprendizado, promoção); por isso, a melhor opção é oferecer remuneração atrelada ao desempenho, como comissões.

No dia a dia do trabalho, delegue o que for possível e cobre resultados no final do período combinado (semanal ou mensal). Quando posicionado na função certa, é o perfil que tende a gerar bons resultados com maior rapidez. Você terá velocidade e dinamismo em detrimento de consistência e precisão.

Caso – O superexigente

Lucas está com 29 anos, é economista, tem raciocínio rápido, é direto, objetivo e impaciente. Em sete anos de carreira, já passou por cinco empregos e sempre teve dificuldade de relacionamento, pois "atropelava" colegas e até chefes mais lentos. Não se conformava com trabalhos malfeitos ou atitudes incoerentes, e muitas vezes criava conflitos, sendo demitido ou pedindo demissão.

Atualmente, trabalha como gerente administrativo-financeiro de uma empresa familiar com cerca de mil funcionários e nunca se sentiu tão à vontade, pois o proprietário da companhia tem perfil muito parecido com o dele.

Lucas está satisfeito no emprego atual, mas recebeu um convite de um amigo de infância para ser sócio de uma pequena empresa de consultoria financeira, ainda com poucos clientes, mas em processo de expansão.

Ele ganharia um pouco menos no começo, mas seria dono do próprio negócio.

Depois de muito pensar, resolveu abrir o jogo com o chefe:

— Seu Valdir, nunca tive um emprego em que me sentisse tão valorizado, mas infelizmente pedirei demissão para ser sócio do seguinte negócio...

— Você é um dos melhores funcionários que já tive e gostaria de entender um pouco mais sobre o que o motiva. Tem a ver com seus ganhos?

— Minha remuneração será cerca de 30% inferior no primeiro ano e não tenho garantia de que aumentará depois disso, mas serei dono do meu negócio e essa é minha maior motivação.

— Você terá quantos sócios?

— Três.

— Tem bom relacionamento com todos?

— Na verdade, conheço bem apenas um deles, mas os outros parecem boas pessoas e com muita ambição para crescer.

— Quem tem sócio tem chefe, diz o ditado. Você tem personalidade forte, é exigente e gosta de autonomia. Aqui presta contas somente para mim, lá precisará dar satisfação a três pessoas.

— Pensei bastante sobre isso. Gosto, sinceramente, de trabalhar com o senhor, mas não consigo me ver como empregado por muito mais tempo e preciso aproveitar essa oportunidade enquanto ainda posso errar.

— Estou com 65 anos, meus filhos têm as próprias carreiras e não se interessam pela empresa, que, como você sabe, é lucrativa. Estou cogitando me afastar, aos poucos, do dia a dia; por isso, gostaria de fazer uma proposta: promovo você a diretor financeiro, com um aumento de salário proporcional aos novos desafios.

— O senhor me pegou de surpresa! Fico lisonjeado, mas preciso de uma semana para dar uma resposta. Pode ser?

— Claro! Apenas leve em consideração que aqui você terá ainda mais autonomia e continuará prestando contas somente a mim, que o respeito e admiro.

— Confesso que fiquei muito feliz com sua proposta e analisarei tudo com muito cuidado.

Lucas não precisou mais do que dois dias para analisar todas as possibilidades e decidiu aceitar a proposta de Valdir. Ele tem plena noção de que é uma pessoa com personalidade forte e teria de aparar muitas arestas para se relacionar com três sócios e ainda ser produtivo.

Se você tiver subordinados com perfil acelerado, como é o caso de Lucas, procure aproveitar suas características mais marcantes, como agilidade, franqueza e objetividade.

É muito improvável que trabalhem motivados com pouca autonomia ou com excesso de supervisão. Às vezes, são geniosos, mas muito produtivos quando aproveitados no lugar certo.

Perfil 3 – Sociável

Pessoas com o perfil sociável predominante são extrovertidas, calorosas, animadas e sociáveis. Trabalham melhor com o público ou em funções que demandem bom relacionamento e trabalho em equipe do que com processos que exijam silêncio e organização.

Características comuns de quem tem o perfil sociável predominante:

- Extrovertido. É socialmente orientado.
- Trabalha bem em equipe. Produz melhor em grupo do que sozinho.
- Bem-humorado. Quase sempre está animado e de bom humor.
- Intuitivo. Usa mais intuição do que lógica para tomar decisões.
- Bem relacionado. Conhece e se relaciona com muita gente, inclusive fora de seu meio profissional.
- Simpático. Costuma ser carismático e gerar simpatia imediata.
- Flexível. Tende a adaptar seu discurso a diferentes públicos.
- Vaidoso. Gosta de ser o centro das atenções.
- Mediador. Costuma usar seu bom humor para mediar conflitos alheios.
- Bom de papo. Pode falar por horas sobre diversos assuntos sem se cansar.

Quem tem esse perfil muito intenso costuma apresentar os seguintes pontos fortes e pontos fracos:

PONTOS FORTES	PONTOS FRACOS
É animado	Pode falar demais
É agregador	Pode ser superficial
Energiza o ambiente	Pode desconcentrar os colegas
É caloroso	Pode ter dificuldade de dizer não

Lugar ideal e como lidar com alguém de perfil sociável:

Pessoas com esse perfil predominante se adaptam rapidamente a qualquer ambiente, mesmo que nunca o tenham frequentado antes. No trabalho, tendem a ser calorosas e funcionam bem onde os relacionamentos são mais importantes que a velocidade ou a organização, por exemplo. Têm dificuldades de produzir em ambientes formais ou silenciosos, que restringem suas habilidades relacionais; nesses casos, dificilmente ficarão no emprego, mesmo ganhando bem.

São ótimas para atender o público, lidar com colegas e criar um clima positivo. Em compensação, têm dificuldade de realizar trabalhos técnicos ou repetitivos.

Caso – A carismática

Zilu está com 25 anos, é médica-veterinária e pessoa divertida e carismática. Trabalha há três anos em uma clínica veterinária especializada em animais domésticos. Ela é adorada pelos clientes, mas tumultua um pouco o ambiente da clínica por ser hiperativa e falar alto o tempo todo. Alguns colegas reclamam que não conseguem se concentrar ou estudar com ela por perto e também dizem que ela demora muito nos atendimentos, gerando filas e ocupando salas de exame por tempo desnecessário, pois conversa demais e examina de menos.

Ela alega que precisa de tempo para ouvir sobre os hábitos da família para fazer não apenas um diagnóstico correto, mas sugerir mudanças que evitariam doenças, como no caso de alimentação inadequada dos animais.

O dono da clínica gosta muito de Zilu, mas concorda que seu excesso de energia precisa ser mais bem aproveitado. Ele agendou uma conversa para buscar uma alternativa razoável para todos.

— Oi, Zilu, como foi o dia?

— Ótimo como sempre! Poderia ficar mais oito horas seguidas no plantão, pois não me canso do trabalho.

— Percebo que você adora o que faz e os clientes a elogiam bastante.
— Fico feliz em saber.
— Entretanto, seu jeito informal às vezes atrapalha a concentração das pessoas, sabia?
— Pois é... Tento me controlar, mas quando percebo estou falando alto e agitando o ambiente.
— Sua maneira de agir é positiva na maior parte do tempo, mas o lugar é pequeno e as pessoas reclamam...
— Poxa, não sabia que estava incomodando tanto. Está pensando em me demitir?
— De forma alguma, apenas acho que poderíamos aproveitar melhor seu talento.
— Como assim?
— Você sabe que nosso local de trabalho ficou pequeno e não temos mais espaço para expandir. Entretanto, a demanda é cada vez maior, pois temos uma equipe de alto gabarito, incluindo você. Já comecei a estudar um projeto de mudança para outro local mais espaçoso, mas só ocorrerá em um ano. Enquanto isso, tenho uma proposta que talvez lhe interesse.
— Qual é a proposta?
— Para atender à demanda, começamos a fazer atendimentos residenciais dos casos menos graves, pois há muitos clientes dispostos a pagar mais por essa conveniência. Porém, o profissional responsável não está conseguindo cativar as pessoas, recebi algumas reclamações e decidi demiti-lo. Acho que você seria a pessoa ideal para suprir essa necessidade. O que lhe parece?
— Parece bom, mas ganharei menos?
— Poderá até ganhar mais, pois o preço da consulta residencial é mais que o dobro da convencional. Proponho pagar um bom percentual das consultas que você fizer, ou seja, quanto mais trabalhar, maior será sua remuneração.
— Quando começo?

Se você tiver subordinados com perfil sociável, como é o caso de Zilu, procure aproveitar suas características mais marcantes, como extroversão, carisma e facilidade de criar e manter relacionamentos. É muito difícil que trabalhem motivados em um ambiente formal ou em atividades que exijam silêncio. Às vezes, são "espaçosos", mas muito produtivos quando aproveitados no lugar certo.

Perfil 4 – Misto

Assim como nos estilos de liderança, cerca de 70% dos indivíduos têm um dos três perfis predominante na estrutura da personalidade e em torno de 30% apresentam equilíbrio entre os três perfis.

Se você tem perfil misto, tenderá a demonstrar características positivas e negativas de dois ou três perfis diferentes, e isso poderá até ser vantajoso, pois, como não há extremos, fica mais fácil aproveitar os pontos mais fortes de cada estilo.

Caso – O camaleão

Ricardinho é quase um fenômeno. Apesar de estar com apenas 32 anos, já concluiu três graduações (economia, ciência da computação e administração de empresas) e teve cinco empregos diferentes (transportadora, concessionária de automóveis, fábrica de autopeças, rede de restaurantes e, atualmente, revendedora de pneus), em empresas de uma mesma família.

Ele está no grupo há doze anos e sempre obteve ótimo desempenho em todos os cargos que ocupou: já trabalhou com vendas, recursos humanos, departamento financeiro, marketing e, agora, controladoria. O presidente do grupo gosta muito de Ricardinho e o chamou para uma reunião.

— Oi, Ricardo, como está o trabalho atual?

— Muito bem, doutor Antonio.

— Como é sua fluência em inglês?

— Nível intermediário. Leio bem, falo mais ou menos e entendo pouco. Por quê?

— Na verdade, precisaria que você dominasse o mandarim, mas o inglês já serve (risos), pois tenho uma ótima oportunidade de negócios para importar pneus da China e preciso de alguém de minha estrita confiança para ficar lá por no mínimo três meses e depois coordenar o negócio aqui. O que lhe parece?

— Não compreendo nada de mandarim, nunca fui ao Oriente, meu inglês não é fluente e não entendo muito de importação. O senhor tem certeza de que sou a pessoa certa?

— Tenho! Você aprende com facilidade, se relaciona bem, é rápido, organizado e, principalmente, comprometido. Se você aceitar o desafio, além de um aumento de salário, pagarei um curso intensivo de inglês no exterior, para ganharmos tempo, e, em sua volta, uma imersão na importadora de um novo sócio para você aprender o mais importante. Posso contar com você?

— Este é o maior desafio que recebi, mas a proposta é justa. Pode contar comigo!

Se você tiver subordinados com perfil misto, como é o caso de Ricardinho, procure aproveitar seu jogo de cintura e grande capacidade de adaptação. Apenas tome cuidado para que eles não se transformem em generalistas e não se especializem em nada. Em pequenas empresas, gente com perfil misto é bastante útil principalmente no início do negócio, pois consegue fazer um pouco de várias tarefas. Entretanto, com o passar do tempo, podem se acomodar e não se aprofundar em áreas específicas que podem ser mais vantajosas.

Para resumir, vale lembrar: o técnico gosta de organizar; o acelerado, de ser ágil; o sociável, de se relacionar; e o misto, de tudo um pouco.

Procure aproveitar o que a pessoa já tem de melhor (estrutura da personalidade) antes de propor mudanças ou fazer ajustes (acabamento).

Agora que terminamos a parte 1 do livro, você já conhece seu estilo de liderança, a SWOT pessoal, a SWOT da empresa e os perfis profissionais. Portanto, tem um diagnóstico mais claro sobre esses pontos e já está preparado para a parte 2, que é mais voltada às tomadas de decisões.

Vamos começar a leitura?

Parte 2
Tomadas de decisões e estratégias para alta performance

A melhor maneira de prever o futuro é criá-lo.
Peter Drucker

5

Gestão na prática – Critérios para demitir, corrigir, orientar, estimular ou dar condições especiais

Ser bom é fácil. O difícil é ser justo.
Victor Hugo

Em equipes enxutas, uma única pessoa inadequada pode prejudicar os resultados. Em compensação, será muito mais fácil e rápido fazer os ajustes necessários e começar a obter bons resultados.

Por isso, dentro do possível, deve-se fazer uma redistribuição interna: tarefas que exijam concentração e organização para os de perfil técnico; tarefas que exijam velocidade e dinamismo para os acelerados; tarefas que envolvam relacionamento para os sociáveis; e tarefas que exijam polivalência para os de perfil misto.

Com o perfil analisado e a pessoa posicionada no lugar certo, será necessário avaliar outros dois componentes fundamentais para alcançar a alta performance: as atitudes e os resultados de cada profissional.

Atitudes e resultados individuais

Muitos profissionais com perfil adequado e boa formação acadêmica não conseguem se manter nos empregos, pois são demitidos com frequência ou pedem demissão por motivos banais. Alguns cursaram universidades de primeira linha, falam dois ou três idiomas, fizeram vários treinamentos técnicos, mas são indisciplinados ou indolentes, ou arrumam confusões desnecessárias, ou cometem pequenas malandragens no dia a dia.

Como muitas vezes batem metas, a empresa (na verdade, o chefe) finge que não percebe comportamentos inadequados. Pequenas espertezas, como mentir para os clientes, chegar atrasado com frequência, não entregar relatórios e faltar com justificativas absurdas, acabam contaminando negativamente toda a equipe, criando o que chamo de "vale-trambique", que significa uma permissão informal para que todos na empresa tenham o mesmo comportamento, sem nenhuma consequência: "Se ele pode fazer errado e nada acontece, eu também posso". Em breve, as mesmas atitudes ruins estarão disseminadas.

Imagine um barco de pesca em alto-mar, cujos tripulantes trabalhem quando e como quiserem, durmam quando desejarem, pesquem apenas quando estiverem com vontade, briguem na distribuição das refeições, e onde os mais fortes explorem os mais fracos. Haverá motim, o capitão perderá a autoridade, e no primeiro porto os bons tripulantes pularão fora, deixando-o ainda mais refém da turma da bagunça.

Não defendo que empresas tenham disciplina militar para serem eficientes, muito pelo contrário, pois pessoas comprometidas e talentosas querem flexibilidade e autonomia. Por isso é imprescindível ter regras claras: o que é aceitável e o que não é? O combinado nunca sai caro e dá um roteiro para as pessoas trabalharem sabendo o que esperar. Existem muitas atitudes positivas. No entanto, selecionei algumas que tenho observado serem comuns em profissionais de alta performance.

Atitudes positivas

- **Profissionalismo:** É a determinação de desempenhar o trabalho de forma ética e benfeita, com a preocupação de entregar o que é combinado sem ninguém mandar. Gente assim se desdobra para cumprir a palavra ou os compromissos, mesmo sem cobrança.
- **Senso de urgência:** Ser ágil para resolver problemas ou dar retorno sobre qualquer demanda é sinal de respeito com clientes, colegas, fornecedores e até desconhecidos. Significa também responder e-mails, telefonemas ou quaisquer solicitações o mais rápido possível.
- **Empatia:** É a preocupação sincera de compreender emoções e sentimentos alheios. É a habilidade de se colocar no lugar do outro, para entender como ele pensa e age. Pessoas empáticas tendem a ser melhores negociadoras em muitas situações.
- **Dor de dono:** Significa atuar como se a empresa fosse dele. Controlar despesas, ficar atento às oportunidades, corrigir falhas, colaborar em áreas que não são de sua responsabilidade direta são características comportamentais de pessoas diferenciadas.

Atitudes negativas

Um grande problema das atitudes ruins é que a maioria não percebe ou não admite que as tem. Você conhece alguma pessoa arrogante, ou chata, ou teimosa, ou grosseira, ou preguiçosa que admita ser assim? Muitos desses comportamentos desagradáveis são percebidos em poucos minutos por desconhecidos, mas simplesmente ignorados por quem os tem. É a chamada mancha cega da personalidade.

Existem várias atitudes que podem prejudicar o desempenho e manchar a reputação de empresas que mantêm profissionais assim por muito tempo em seu quadro de funcionários. No entanto, selecionei aquelas que costumam gerar problemas mais graves, principalmente em equipes reduzidas.

Vamos a elas em escala crescente de gravidade:

- **Falta de noção:** Muitas vezes a pessoa é comprometida e dedicada, mas não percebe comportamentos que atrapalham ou tumultuam o ambiente, como não respeitar os limites alheios ao falar alto o tempo todo, fazer brincadeiras desagradáveis, assediar colegas, ser grosseiro, pedir favores com frequência, ter chiliques ao ser confrontado etc. É melhor dar feedbacks corretivos antes que o problema aumente.
- **Teimosia exagerada:** Há pessoas que têm uma necessidade quase patológica de ser do contra. Costumam discordar até de coisas banais, muitas vezes sem propor soluções. Reclamam de tudo e se colocam como donos da verdade, com atitudes egoístas e infantis, dando a entender que, se a ideia não for dele, não serve.
- **Desonestidade intelectual:** Malandragens, como passar horas nas redes sociais em assuntos que nada tenham

a ver com o trabalho, ausentar-se da empresa para fazer trabalhos paralelos, enganar clientes com falsas promessas, prejudicar colegas para obter vantagens são situações limítrofes que devem gerar ações que vão de advertência verbal a demissão, dependendo da frequência e da gravidade do ato.

- **Desonestidade material:** A pior forma de atitude ruim tem relação com dolo. Fazer empréstimos pessoais fraudulentos, chantagear clientes ou colegas, desviar pagamentos ou se apropriar de recursos da empresa são situações que tendem a se agravar com o passar do tempo se permanecerem impunes.

Avaliação prática

Uma das maiores dificuldades de meus clientes de consultoria era tomar a decisão sobre o que fazer com cada um dos subordinados. Muitos diziam: "Ok, concordo em ter como critério para análise resultados e atitudes. Para os casos extremos (muito bons ou muito ruins) é fácil decidir, e para os medianos, o que fazer?".

Como essas dúvidas eram frequentes e comuns, comecei a testar diferentes modalidades além de "demitir" ou "dar condições especiais" e cheguei à conclusão, depois de anos testando opções, de que o mais próximo do ideal seria oferecer sete alternativas para a decisão.

Vamos a elas:

- **Demitir:** Se você já tentou de tudo (treinou, alertou, mudou de função) e os resultados continuam ruins, ou a pessoa mantém péssimas atitudes. São casos graves e que não podem esperar.

- **Procurar substituto:** Trata-se daquele subordinado que você já desistiu de recuperar, mas, como não é caso grave, dá tempo de procurar alguém melhor antes de proceder à demissão.
- **Dar cartão amarelo:** É a situação em que a pessoa está acomodada. Você deve abrir o jogo, dizer o que precisa ser melhorado, e que, se isso não ocorrer, o próximo passo será dar cartão vermelho (demissão).
- **Treinar:** Nesse caso, a pessoa tem perfil para a função, demonstra boa vontade, mas ainda não gera bons resultados por inexperiência ou falta de habilidade técnica.
- **Dar feedback corretivo:** É a situação em que a pessoa sabe fazer, teve (ou tem) bom desempenho, mas demonstra algumas atitudes inadequadas, como falta de empenho, relacionamento ruim ou apatia. Vale a pena chamar a atenção dela.
- **Dar feedback positivo:** É o caso em que a pessoa sempre procura fazer o melhor, tem bons resultados e ainda dá exemplo positivo. É fundamental elogiar o que ela faz benfeito.
- **Proporcionar condições especiais:** Nessa situação, o subordinado é impecável, tanto em resultados como em atitudes positivas. Gente assim precisa de tratamento especial, como salário diferenciado, participação nos resultados, treinamentos externos e, eventualmente, pequena participação na sociedade.

Para que o líder consiga avaliar as sete opções que acabamos de ver e tenha uma visão global da empresa, preparei uma matriz com dezesseis situações (baseadas nos resultados e nas atitudes). Com a matriz, uma análise mais objetiva e clara torna-se possível, facilitando a abordagem concernente a cada uma das dezesseis posições.

Por exemplo:

O que fazer na posição 6 (Resultados bons e atitudes medianas)?

O que fazer na posição 10 (Resultados medianos e atitudes medianas)?

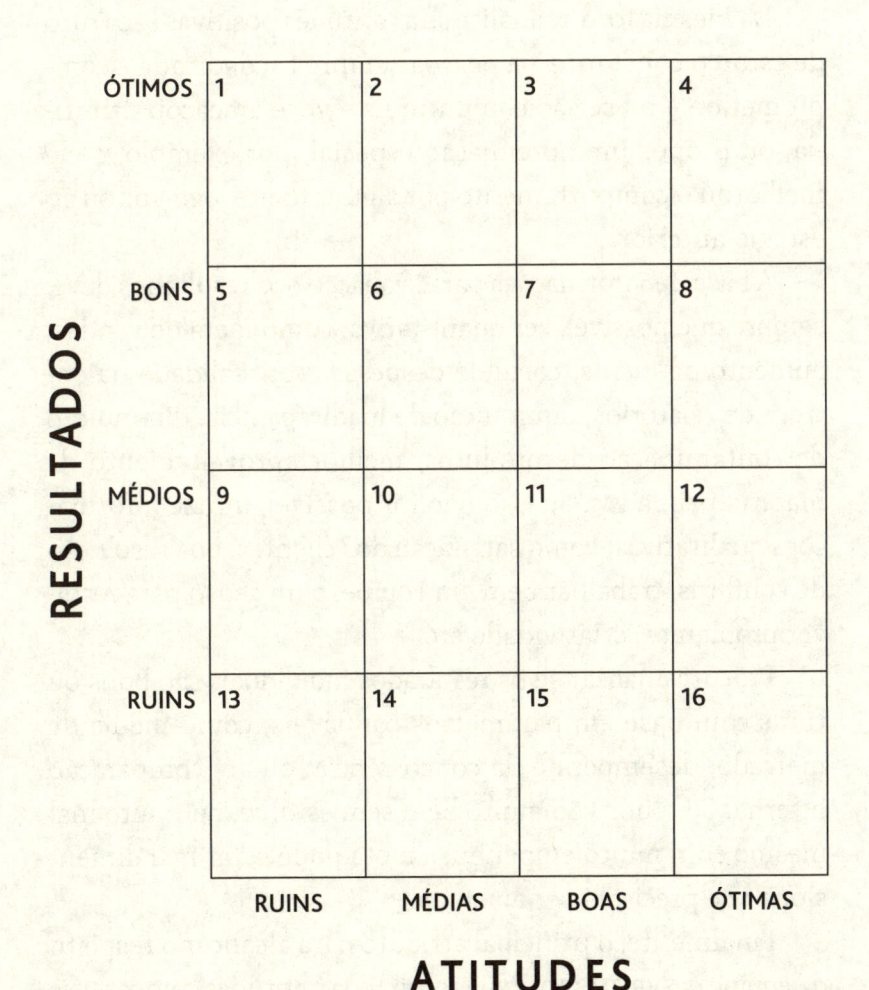

	RUINS	MÉDIAS	BOAS	ÓTIMAS
ÓTIMOS	1	2	3	4
BONS	5	6	7	8
MÉDIOS	9	10	11	12
RUINS	13	14	15	16

RESULTADOS / ATITUDES

Antes de preencher os dezesseis nichos, sugiro que uma análise prévia seja feita para verificar se as atitudes ruins têm componente estrutural – a pessoa sempre foi assim e não faz muito esforço para mudar – ou se esses comportamentos são decorrentes de situações momentâneas – a pessoa pode estar com problemas familiares, muito cansada e até doente, e, nessas situações, precisará de ajuda ou férias para colocar as coisas em ordem.

Da mesma forma, analise se as atitudes positivas são fruto de esforço constante – a pessoa sempre foi dedicada e comprometida – ou se são conjunturais – você ameaçou demiti-la, ou propôs uma premiação especial, por exemplo, e ela melhorou o comportamento por alguns dias e logo voltou ao estágio anterior.

A base de informações para avaliação dos resultados deve, sempre que possível, ser quantitativa, como meta de vendas, aumento de lucros, corte de despesas, pontualidade na entrega de relatórios, diminuição de inadimplência, diminuição de contaminação de produtos, melhor aproveitamento de matéria-prima etc. Se isso não for possível, utilize informações qualitativas, como satisfação dos clientes, boa resolução de conflitos, trabalhar bem em equipe, bom senso para resolver problemas, criatividade etc.

Procure analisar se os resultados individuais são bons ou ruins com base em parâmetros confiáveis, como média de mercado, desempenho da concorrência, ou até comparação interna. Se todos vão muito bem sem esforço, ou muito mal mesmo com muito empenho, a meta pode estar mal dimensionada e precisará ser ajustada.

Finalmente, o principal atributo para alcançar o respeito da equipe é: **SER JUSTO**. Exija resultados e atitudes compatíveis com o que a empresa oferece: se você paga bem, compartilha lucros sempre que possível, proporciona boas condições de trabalho e, principalmente, dá bons exemplos, pode e deve ser exigente e seletivo.

Se, entretanto, oferece remuneração abaixo da média, proporciona condições inadequadas de trabalho, trata mal seus funcionários e dá maus exemplos, não poderá ser tão exigente.

Por isso, faça o dever de casa previamente e aumente aos poucos seu grau de exigência; afinal, boas empresas atraem e retêm bons funcionários.

Então, antes de continuar a leitura, volte ao quadro anterior e, com base em tudo o que leu até agora, preencha os nichos dos dezesseis posicionamentos, levando em consideração que você deseja formar uma equipe de alta performance. As opções, como vimos, são: demitir; procurar substituto; dar cartão amarelo; treinar; dar feedback corretivo; dar feedback positivo; proporcionar condições especiais.

O que você verá no quadro a seguir será minha opinião sobre como agir nas dezesseis situações, sempre visando a alta performance. Depois, compare com sua interpretação.

RESULTADOS

	RUINS	MÉDIAS	BOAS	ÓTIMAS
ÓTIMOS	1 Demitir	2 Dar feedback corretivo	3 Dar feedback positivo	4 Proporcionar condições especiais
BONS	5 Demitir	6 Dar feedback corretivo	7 Dar feedback positivo	8 Dar feedback positivo
MÉDIOS	9 Demitir	10 Dar cartão amarelo	11 Treinar	12 Treinar
RUINS	13 Demitir	14 Procurar substituto	15 Se tiver perfil, treinar	16 Se tiver perfil, treinar

ATITUDES

MINHAS SUGESTÕES:

Situações 9 e 13 (**Demitir**) – São os casos mais óbvios e fáceis de decidir. Atitudes constantemente ruins (preguiça, malandragem, má vontade, descompromisso etc.), acompanhadas de maus resultados, são casos para demissão urgente.

Situação 14 (**Procurar substituto**) – Resultados ruins com atitudes medianas (às vezes se esforça, de vez em quando demonstra comprometimento; não atrapalha, mas não contribui) não combinam com alta performance e, apesar de menos graves que o caso anterior, também são passíveis de demissão, que pode ser realizada assim que se encontrar um bom candidato à vaga.

Situações 1 e 5 (**Demitir**) – Atitudes ruins acompanhadas de bons ou ótimos resultados são os casos mais delicados e as situações nas quais os líderes mais costumam errar. Algumas vezes a pessoa é inteligente, articulada, bem informada, tecnicamente habilidosa, bate todas as metas, mas é trambiqueira. A versão suave dessa figura tem muito talento para manipular quem estiver a sua volta. Com clientes, acerta prazos de entrega impossíveis de serem cumpridos e depois não atende telefonemas, não responde e-mails e ainda coloca a culpa na empresa; inventa descontos ou preços abaixo do custo para fechar negócios e depois responsabiliza a companhia por não ser competitiva. A versão perigosa, além do que foi comentado, costuma usar a estrutura ou a reputação da empresa para fazer negócios pessoais; pedir comissão "por fora" para facilitar negócios; subornar ou aceitar suborno; vender informações para concorrentes etc.

No começo, os chefes fingem não perceber o mau comportamento, ou o justificam dizendo que a pessoa é um pouco fora dos padrões, mas bate todas as metas. Aos poucos, a conta começa a chegar: clientes insatisfeitos; colegas enganados; despesas injustificadas; revolta de fornecedores; e um clima de vale-tudo que destrói a reputação da empresa. Finalmente, depois de causar prejuízos financeiros e morais, o "pata de elefante" (destrói tudo por onde passa) é demitido. Portanto, cuidado! Evite contratar patas de elefante e, se descobrir algum, demita-o imediatamente.

Situação 10 (**Dar cartão amarelo**) – É aquela em que o funcionário tem perfil e atitudes medianos. É um caso comum em empresas medíocres, já que o funcionário faz o básico, pois seu principal objetivo é apenas manter o emprego.

Por isso, minha sugestão é dar um cartão amarelo (advertência), dizer que espera mais da pessoa e perguntar o que falta para que ela melhore seu desempenho. Um choque de realidade pode fazer a diferença.

Se você pretende de fato ter uma empresa de alta performance, não pode se acomodar com tais profissionais e alegar não ter tempo de procurar gente mais qualificada.

Situações 2 e 6 (**Dar feedback corretivo**) – É o caso em que o desempenho é bom ou ótimo, mas as atitudes são medianas. Aqui cabe um feedback corretivo: "Fulano, seus resultados são bons, mas alguns comportamentos, como [...] têm deixado a desejar. Você é referência na empresa e espero que suas atitudes melhorem. Posso contar com seu esforço?". Quando a pessoa melhorar as atitudes solicitadas, deve-se elogiar a mudança de postura.

Situações 15 e 16 (**Se tiver perfil, treinar**) – São pessoas que demonstram boas ou ótimas atitudes, mas apresentam resultados ruins. A primeira pergunta é: "O profissional tem perfil (técnico, acelerado ou sociável) para a função que executa?". Se não tem, procure mudar suas atribuições para algo mais compatível com seu perfil.

Se ele tem perfil para a função e as atitudes são boas, o que falta é treinamento. Vale a pena ter paciência e demonstrar a maneira correta de proceder. Gente dedicada aprende com rapidez e começa a gerar bons resultados antes do que você imagina.

Situações 11 e 12 (**Treinar**) – São pessoas que demonstram boas ou ótimas atitudes, mas apresentam resultados medianos. Esta é uma variação mais positiva dos casos 15 e 16. Portanto, invista em treinamentos.

Situações 3, 7 e 8 (**Dar feedback positivo**) – São profissionais que estão muito próximos de alcançar a alta performance. Um dos maiores erros é achar que está tudo bem e começar a ignorar ou dar pouca atenção a essas pessoas para concentrar energia nos mais limitados. Cabe estimular, dar feedbacks positivos, compartilhar informações e ouvi-los nas tomadas de decisões.

Situação 4 (**Proporcionar condições especiais**) – O auge da gestão de um bom líder é contar com profissionais com alta performance consistente. Além de gerar ótimos resultados, eles são comprometidos, têm autoridade moral e parecem colocar a alma no trabalho. Essas pessoas são imperdíveis e, se você não cuidar muito bem delas, alguém o fará, ou elas terão o próprio negócio. Por isso, além de compartilhar as tomadas de decisões, proporcione condições especiais, como delegação ampla, treinamentos especiais, participação nos lucros e até uma parte na sociedade da empresa. Será muito melhor tê-las como sócias do que como concorrentes.

Agora que você preencheu as dezesseis posições com sua interpretação e leu minha opinião sobre o que fazer em cada caso, coloque o nome de seus colaboradores no quadrante que você avalia ser o mais próximo da realidade.

Com isso, você terá um diagnóstico sobre como está cada uma das pessoas e poderá traçar uma estratégia de como agir com cada uma delas, ou seja: demitir; procurar substituto; dar cartão amarelo; treinar; dar feedback corretivo; dar feedback positivo; proporcionar condições especiais.

No decorrer dos próximos capítulos, você continuará a receber informações e sugestões de como agir para criar um ambiente focado na obtenção da alta performance.

A seguir, veremos a análise da posição de algumas pessoas dos casos estudados. Como algumas das empresas têm mais de cinquenta funcionários, a análise se dará por uma amostragem de pessoas que representem as situações mais comuns. Ficaria cansativo para o leitor conhecer os pormenores de dezenas de casos individuais.

Continuação do caso 1 – Análise da equipe do restaurante de Carlos

Posição 6 (Resultados bons e atitudes medianas): Marlos, chef.

Ele cozinha bem e o público elogia os pratos; em compensação, é grosseiro com os funcionários, não se compromete com o corte de despesas, alegando que sua função é cozinhar, e não administrar o restaurante. Deveria receber um feedback corretivo.

Posição 10 (Resultados medianos e atitudes medianas): Elza, esposa de Carlos.

Ela sabe fazer o trabalho, mas seu desempenho, na melhor das hipóteses, deixa a desejar. Ela também se atrasa com frequência, alegando estar sobrecarregada com outro emprego e afazeres domésticos. Deveria receber, de forma sutil, alternativas para se afastar do negócio.

Posição 9 (Resultados medianos e atitudes ruins): Aldo, irmão de Carlos.

Ele é carismático e sabe atender bem os clientes, porém bebe exageradamente durante o trabalho e falta com frequência. Como foi repreendido várias vezes e não mudou as atitudes, deveria ser desligado.

Posição 11 (Resultados medianos e atitudes boas): Francisco e Paula, ajudantes de cozinha.

São dedicados, comprometidos e procuram ajudar o tempo todo. Entretanto, têm pouca experiência e, quando a casa está cheia, se confundem e erram em alguns pratos. São casos para treinamento mais intensivo.

Posição 7 (Resultados bons e atitudes boas): Sandro e Renata, garçons, e Márcio, responsável pela limpeza.

São trabalhadores, motivados e fazem o possível para deixar os clientes satisfeitos. Merecem atenção especial.

Posição 4 (Resultados ótimos e atitudes ótimas): Veiga, garçom.

É o melhor funcionário da empresa e merece ser promovido para o cargo de Aldo.

Continuação do caso 2 – Análise da equipe da empresa de consultoria em marketing digital de Silmara

Posição 2 (Resultados ótimos e atitudes medianas): Vicente, cinegrafista.

É excelente profissional: a iluminação é perfeita, os enquadramentos são estudados caso a caso, é criativo e ainda faz edições impecáveis. No entanto, começou a ser ríspido com alguns clientes e reclama quando tem de regravar cenas. Silmara precisaria fazer o possível para não perder Vicente, mas pedir mudança de atitudes.

Posição 15 (Resultados ruins e atitudes boas): Vitória, redatora.

É a funcionária mais dedicada que Silmara já contratou: ajuda nas filmagens, colabora nas compras, é participativa e bem-humorada. No entanto, exagera na criatividade dos textos que escreve e ainda não conseguiu conquistar nenhum cliente, mesmo procurando fazer seu melhor. Silmara precisará ter paciência, pois Vitória tem alto potencial, mas precisará ser treinada.

Continuação do caso 3 – Rede de lojas de materiais de construção de Martins

Posição 10 (Resultados medianos e atitudes medianas): Vitor, vendedor.

É um funcionário com mais de vinte anos de empresa e, apesar de honesto, está completamente acomodado. Faz apenas o básico, não tem iniciativa, não aprimora o conhecimento técnico, não procura novos clientes e não contribui com ideias. É o estereótipo do anão Soneca. Quando exigido, melhora um pouco, mas em poucas semanas retorna à zona de conforto. Martins precisará abrir o jogo e negociar a melhoria do desempenho e das atitudes.

Posição 9 (Resultados medianos e atitudes ruins): Ernesto, vendedor.

Funcionário com mais de dez anos de empresa, também com resultados medíocres e com atitudes ruins. Chega atrasado, bate boca com os colegas, é intolerante com os clientes e vive reclamando que a empresa está ultrapassada. É caso para demissão.

Posição 7 (Resultados bons e atitudes boas): Luciana, vendedora.

Funcionária com três anos de empresa. É a melhor e mais motivada vendedora do grupo. Tem iniciativa, procura alternativas para os clientes e estuda com afinco. Felizmente ainda não virou "anã". Martins deveria elogiá-la publicamente como exemplo a ser seguido na empresa.

Posição 6 (Resultados bons e atitudes medianas): Vera, departamento financeiro.

É a funcionária mais antiga. É honesta, cumpre suas atribuições, mas é muito sensível a qualquer crítica e não aceita cobranças. Está começando a ficar tecnicamente ultrapassada e, no entanto, continua com a postura de sabe-tudo. Martins precisará ter uma conversa séria e exigir mudanças urgentes.

Posição 14 (Resultados ruins e atitudes medianas): Felipe, gerente-geral, e Magda, compradora.

Ambos são filhos de Martins. Além de terem desempenho ruim, não cumprem horários e agem como se tivessem o melhor negócio do mundo. Martins sabe que foi demasiadamente tolerante com eles, mas, depois da doença e dos maus resultados, precisará ser mais assertivo com ambos.

Continuação do caso 4 – Análise de cada sócio das empresas em que Mônica tem participação societária majoritária

Posição 15 (Resultados ruins e atitudes boas): Júlia, sócia e irmã, comanda uma loja de roupas femininas em um shopping.

É afável e dedicada, mas a loja, que foi inaugurada há um ano, continua dando prejuízo. Ela alega que o aluguel é muito caro e que a crise econômica está prejudicando as vendas. Não deixa de ser verdade, mas Mônica avalia que Júlia tem dificuldade de escolher as peças, repor estoques e comandar as duas vendedoras, que já pediram demissão.

Mônica precisaria solicitar um treinamento intensivo para Júlia com a franqueadora da loja.

Posição 16 (Resultados ruins e atitudes ótimas): Joaquim, sócio e irmão, comanda a marcenaria especializada em "rejuvenescer" móveis residenciais.

É o irmão mais velho e sempre foi o mais esforçado da família: trabalha mais de doze horas por dia, seis dias por semana;

negocia pessoalmente com os clientes; realiza as medições; acompanha o trabalho; e ainda faz o pós-venda. Os clientes ficam muito satisfeitos, mas o negócio dá prejuízo todos os meses e só está de pé porque Mônica continua injetando dinheiro nele. Ela avalia que Joaquim é excelente na execução, mas péssimo na gestão financeira. Dá muitos descontos e é mau comprador.

Mônica deveria procurar um gestor de fora ou, eventualmente, um sócio-investidor, para tentar salvar o negócio, que parece bastante promissor.

Posição 4 (Resultados ótimos e atitudes ótimas): Natan, sócio, comanda a agência de negócios que intermedeia o contato entre jovens com ideias promissoras e investidores para startups.

É intelectualmente brilhante, rápido de raciocínio, bem relacionado e íntegro. Jamais se aproveita da ingenuidade dos jovens ou força a barra com investidores, procurando ser justo com todos. Criou uma fórmula em que o dono da ideia paga 7% do valor recebido pelo investidor como comissão e mais 15% dos lucros (se houver) a partir do terceiro ano de funcionamento da empresa.

Mônica deveria pensar em propor novos negócios a Natan.

Continuação do caso 5 – Revenda de produtos agrícolas de Jaime

Posição 11 (Resultados medianos e atitudes boas): Osmar, vendedor.

É um ex-trainee da empresa. É dedicado, tem vontade de aprender e procura fazer o melhor, mas, por insegurança, ainda depende muito de Jaime para tirar os pedidos maiores. Ele tem bom potencial, mas precisa de treinamento para acelerar a curva de aprendizado.

Posição 6 (Resultados bons e atitudes medianas): Michel, vendedor.

Era colega de Jaime no antigo emprego. Tem jogo de cintura, é experiente e já conseguiu fechar bons negócios, mas é individualista, não contribui com os mais jovens e toma muitas liberdades com Jaime. Age como se fosse o gerente da unidade e com isso gera um clima ruim em algumas situações.

Jaime deverá definir limites de atuação para Michel não solapar sua autoridade.

Posição 7 (Resultados bons e atitudes boas): Silas, vendedor.

Ele também trabalhava na mesma empresa de Jaime e Michel. Seus resultados são muito bons e ele ainda contribui com o grupo ensinando os mais novos, dando sugestões e procurando ter atitudes respeitosas com o gerente.

Deve receber elogios. Tem potencial para, no futuro, ser gerente de uma nova unidade.

No capítulo 7, veremos a continuação das histórias com mais detalhes sobre como dar e receber feedbacks, sempre com o objetivo de formar uma equipe de alta performance.

No próximo capítulo, analisaremos os critérios para a entrada de novos profissionais em sua equipe.

6
Como escolher a pessoa certa para sua equipe

Toda história tem três lados: o meu, o seu e a realidade.
E nenhum está mentindo.
Robert Evans

Se você analisou a empresa, a si mesmo, a equipe e definiu seus objetivos, provavelmente já sabe quem ficará no barco, quem mudará de função, quem necessitará de treinamento, quem merecerá cuidado especial e quem precisará ser trocado. Portanto, chegou a hora de pensar em novas pessoas, seja para substituir alguém que não deu certo, seja para acrescentar vagas se o negócio estiver crescendo. Para isso, sugiro que você passe por cinco grandes etapas:

- Defina os parâmetros.
- Saiba onde e como encontrar talentos sem gastar muito

- Faça a triagem/seleção dos candidatos.
- Conduza entrevistas eficazes.
- Monte uma matriz decisória e bata o martelo.

Defina os parâmetros

Seja para substituir pessoas, acrescentar funcionários ou para formar uma nova equipe, será necessário estabelecer alguns parâmetros muito importantes:

Qual o perfil ideal para a função? Técnico, acelerado, sociável ou misto? Quanto mais compatível for o perfil com a função, mais fácil e rápida será a adaptação.

- Faça as contas. Se precisar de alguém que comece a trabalhar e dar resultados imediatos, prepare a carteira, pois, quanto maior a excelência do profissional, mais caro custará. Existem profissionais que custam menos, mas normalmente demoram mais tempo para gerar bons resultados.
- Treine intensivamente. Se há poucos recursos, a lógica será contratar pessoas com pouca experiência, mas de alto potencial. Quanto mais complexa for a função, mais tempo deverá ser investido em treinamento.
- Integre as pessoas. Procure mesclar gente experiente com outros menos preparados.
- Aprenda com os erros. Será fundamental analisar os motivos pelos quais algumas pessoas não deram certo no cargo. Procure avaliar por que você demitiu ou por que o bom funcionário pediu demissão.

Qual o motivo das últimas demissões?

- Perfil incompatível com a função? Daqui em diante, não force a barra. Gato não vira tigre, e, se você exagerar na comida, conseguirá, no máximo, um gato gordo.

- Atitudes ruins? O rastro passado (histórico pessoal e profissional) dá boas indicações de como será o comportamento da pessoa no futuro. Analise-o em detalhes nas próximas contratações.
- Resultados ruins? Mesmo com bom perfil, boas atitudes e treinamentos adequados, algumas pessoas não se adaptam. É como o time que contrata um jogador de futebol consagrado, com histórico de artilheiro, boas atitudes dentro e fora do campo, e em boa forma, mas que inexplicavelmente não consegue fazer gols. Pode ser incompatibilidade com os colegas, desavenças com o técnico, dificuldade de adaptação ao novo contexto (clima, alimentação, idioma, problemas com a família etc.). Esse é o fator mais difícil de prever, por isso é necessário cuidado redobrado com os dois itens anteriores.

Por que bons profissionais pediram demissão?
- Ambiente ruim?
- Incompatibilidade com o chefe?
- Sentiram-se decepcionados (não encontraram as condições prometidas na seleção)?
- Muito qualificados para a função (estavam subaproveitados)?
- Pouco qualificados para a função (não deram conta)?
- Saíram para ganhar mais ou para uma posição superior?
- Montaram o próprio negócio?

Analisar os motivos dos erros será um enorme investimento em aprendizado. Cada empresa tem sua cultura, representada pelo "jeitão do cabeça" (estilo de liderança, valores pessoais, ética profissional etc.), e isso é muito mais forte em uma pequena empresa ou equipe enxuta. Portanto, examine profundamente o que mais dá certo e o que não dá, para não repetir os equívocos.

Para facilitar a definição do candidato ideal, defina qual o limite de manobra aceitável (vide quadro a seguir).

Abaixo do mínimo – são aqueles candidatos que não preenchem os requisitos básicos. A chance de dar errado é muito grande e não vale a pena arriscar.

Acima do máximo – são aqueles candidatos cujo nível é muito superior ao cargo oferecido. Haverá grande tentação para contratar, mas o risco é alto. A tendência é que a pessoa se desmotive rapidamente ou continue procurando uma outra vaga à altura de sua real qualificação.

Abaixo do mínimo
(não contrate)   !_____!   **Acima do máximo**
(não contrate)
Limite de manobra aceitável

Aceitar um candidato com atitudes e valores muito diferentes dos seus provavelmente também trará problemas.

A pessoa, por exemplo:
- acha normal dar um "pequeno incentivo financeiro" (propina) para facilitar as vendas e você discorda;
- é agressiva, e você considera tal estilo desrespeitoso;
- odeia treinamentos, e você é um entusiasta da prática;
- mente com frequência para fechar negócios, e você se sente envergonhado com essa tática;

- deixa claro que precisa de um salário muito superior ao que você pode pagar;
- precisa de uma estrutura de apoio (secretária, auxiliares) que você não pode proporcionar.

É preciso também ficar atento ao excesso de sedução. Muitas vezes, o empreendedor se encanta pelo candidato e faz promessas irrealistas ou exagera no potencial da empresa para convencê-lo a aceitar a proposta. A pessoa é contratada; entretanto, em poucas semanas percebe a propaganda enganosa e pede demissão, gerando enorme prejuízo e frustração para ambos.

Saiba onde e como encontrar talentos sem gastar muito

O grupo de investimento 3G Capital, liderado por Jorge Paulo Lemann – brasileiro com uma fortuna avaliada em 29 bilhões de dólares, que controla empresas como AB InBev (a maior cervejaria do mundo), Burger King, Heinz, entre outras –, tem algumas práticas de gestão que poderiam ser seguidas por empresas de qualquer tamanho. A principal delas, em minha opinião, é contratar preferencialmente jovens PHDs, ou seja, gente Pobre, Honesta e Desesperada para obter sucesso.

Quando há, na mesma pessoa, necessidade, integridade e ambição, pode ter certeza de que o potencial para alcançar a alta performance é enorme. Quando essas pessoas encontram um ambiente de trabalho meritocrático, o resultado costuma ser excelente.

Não estou afirmando que seja fácil encontrar PHDs e muito menos mantê-los motivados, pois a "fome" é grande. Entretanto, quando você consegue contratá-los e aprende a lidar com eles, terá a base para formar uma verdadeira fábrica de talentos, fator que atrai outros fora de série, que multiplicarão os resultados, criando um círculo virtuoso.

Para isso, você precisará beber diretamente na fonte e formar uma rede de relacionamentos com professores de escolas técnicas e universidades, principalmente com aqueles que coordenam estágios. No início dará certo trabalho e demandará perseverança para colher os primeiros resultados. Investi muito tempo nessa atividade nos primeiros quinze anos de minha carreira como consultor, acompanhando pessoalmente vários clientes no processo de busca e, passados quase trinta anos das primeiras contratações, continuo constatando que a fórmula é poderosa, pois muitas pessoas que ajudei a recrutar a partir de meados da década de 1980 atualmente são executivos bem-sucedidos ou proprietários de empresas de alta performance.

Para começar o processo de caça aos talentos, faça visitas informais a escolas de formação técnica (ensino médio) ou a universidades e procure tomar um café com qualquer professor (repito, qualquer um) que ministre aulas de matérias com alguma relação com atividades de sua empresa. Fale sobre seu negócio, sobre sua intenção de criar uma equipe de sucesso e peça a opinião dele sobre o assunto.

Alguns não lhe darão importância; outros dirão que a proposta é ótima, mas utópica; um ou outro dirá que não tem tempo; que a escola é pequena e que não possui departamento de estágio etc. Até que finalmente alguém se interessará pela ideia e, mesmo sem experiência ou cargo ou poder, indicará alunos promissores, com uma reação mais ou menos assim: "Dou aulas para quatro turmas do segundo ano e acho que posso indicar três ou quatro pessoas que são inteligentes, dedicadas, vêm de famílias humildes e são ambiciosas. Acho que vale a pena você bater um papo com elas".

Aí o jogo começa! Quando a primeira contratação der certo, você começará a ganhar confiança no modelo, os professores que fizeram a indicação tenderão a reforçar o vínculo e os contratados servirão de exemplo, atraindo outras pessoas parecidas com eles. Se persistir, em alguns anos terá criado uma verdadeira fábrica de formar e atrair gente talentosa.

Além da busca em escolas, você poderá ter estratégias complementares:

- Pedir ajuda a ex-PHDs. Subordinados, clientes, fornecedores, amigos e conhecidos que vieram de baixo conhecem as dificuldades da empreitada e conseguem identificar outras pessoas com histórias parecidas.
- "Garimpar" no LinkedIn e nas redes sociais. Sempre há gente boa desempregada ou subempregada à procura de oportunidades. Fique atento!
- Contratar alguém para contratar. Se você tem recursos e não há tempo ou paciência para cumprir todas as etapas citadas sozinho, poderá contratar empresas ou profissionais para fazer essa modalidade de trabalho. Aqui vale a mesma regra: procure indicações de pessoas que conheçam e atestem a reputação de quem fará o trabalho de seleção. Gente boa costuma indicar gente boa.

Faça a triagem/seleção dos candidatos

Agora que você já desenhou todo o processo e conhece suas demandas, chegou a hora de decidir quem entrevistar com base na análise do histórico curricular.

Um currículo bem elaborado dá indicações do perfil predominante, da história de vida, do rastro profissional e projeta tendências de como a pessoa se comportará no futuro.

Também será fundamental analisar a estrutura da personalidade, bem como a capacidade de fazer ajustes (acabamento). Para simplificar, vamos dividir a análise em dois fatores:

1. Perfil;
2. Rastro pessoal/profissional do candidato.

Análise do perfil – prováveis indicações

Perfil técnico – A pessoa tende a priorizar cursos e treinamentos mais voltados para a área de ciências exatas e tecnológicas (matemática, análise de sistemas, física, tecnologia da informação, ciência da computação, estatística, ciências contábeis, engenharia, economia). Seus empregos anteriores normalmente foram em áreas de suporte (contabilidade, auditoria, folha de pagamentos, logística, TI, programação, assistência técnica). Também costuma permanecer mais tempo nos empregos e tem uma carreira mais estável e previsível.

Perfil acelerado – Cursos e treinamentos mais abertos e que proporcionam mais flexibilidade de escolha, como administração de empresas, por exemplo. Também é comum uma pessoa com esse perfil começar cursos e não concluí-los por falta de paciência ou afinidade. Ocupações anteriores na área de vendas (lojas de roupas, revendas de automóveis, corretoras de seguro, imobiliárias) ou que lhe dão flexibilidade de horários e autonomia. Tende a ter empregos simultâneos e alguns trabalhos por empreitada.

Perfil sociável – Prioriza cursos e treinamentos mais voltados a área de ciências humanas (psicologia, recursos humanos, ciências sociais, filosofia, pedagogia, história, serviço social, letras etc.). Seus empregos anteriores normalmente tiveram relação com áreas que envolviam contato com um público diversificado, como vendas (assim como os acelerados, mas os sociáveis tendem a permanecer mais tempo na função), marketing e serviços (restaurantes, empresas de treinamento, lojas, telemarketing). Prefere empresas ou empregos em que tenha bom relacionamento com o chefe e reconhecimento público.

Análise do rastro pessoal/profissional – prováveis indicações
Você quer alguém com formação acadêmica impecável (universidades de primeira linha, com pós-graduação) ou isso não importa tanto?

Procura gente com muita vivência prática ou é melhor que não tenha experiência?

Precisa de pessoas que falem mais de um idioma ou isso é irrelevante?

Gostaria de alguém com muita disponibilidade para viagens ou isso é dispensável?

Mesmo um currículo resumido dá informações do histórico de vida e, obviamente, do rastro profissional. Vamos analisar algumas indicações relevantes:
- Idade em que começou a trabalhar. PHDs, por exemplo, precisam trabalhar desde muito cedo, inclusive em funções braçais ou insalubres. Pessoas de classe média ou alta começam mais tarde, muitas vezes após a conclusão da primeira graduação. Não afirmo que um é, necessariamente, melhor que o outro, mas indica o que cada um está acostumado a fazer.
- Quantidade de empregos. O número de empregos costuma indicar maior ou menor tolerância às frustrações,

ou foco mais concentrado ou mais disperso. Dez empregos em cinco anos indicam falta de foco e baixa tolerância. Por outro lado, ficar dez anos no mesmo emprego, sem nenhuma promoção ou evolução aparente, costuma significar acomodação.
- Qualidade dos empregos. A pessoa teve empregos na mesma área ou em áreas completamente diferentes? Obteve melhor remuneração ou aumento de desafios a cada mudança ou trocou seis por meia dúzia e evoluiu pouco? Está há muitos anos na mesma empresa? Foi promovida? Participou de novos projetos? Trabalhou em pequenas ou grandes empresas? Em que áreas obteve destaque?

O estilo dos empregos mostra em que a pessoa produz melhor. Nos pequenos negócios, o profissional faz de tudo um pouco (compra, vende, dá assistência, atende reclamações, faz relatórios e precisa se virar por conta própria); nas grandes companhias, o processo é mais hierarquizado, as funções são mais específicas e o trabalho costuma ser mais restrito (cada qual executa tarefas bem descritas e tem pouca margem para atuar em outros departamentos).
- Formação acadêmica. Onde estudou? Quais foram as notas? Quantos estágios realizou? Obteve algum prêmio ou destaque? Quanto tempo demorou para terminar cada curso? Fez pós-graduações? Fez outros cursos relevantes? Domina algum idioma? Estudou no exterior?

Essas informações também dão indicativos sobre o que é importante para a pessoa e mostra sua dedicação para alcançar metas acadêmicas. Também indica se gosta de estudar soluções novas ou se prefere trabalhos com regras já definidas.

Para concluir, sugiro que você separe a triagem em três grupos:

Descartados – Pessoas que não têm os pré-requisitos mínimos e, portanto, não devem ser consideradas.

Aprovados – Pessoas com quase todos os pré-requisitos e que parecem ter bom potencial.

Duvidosos – Pessoas para as quais faltam alguns pré-requisitos, mas não são de todo ruins.

Se houver apenas um ou dois aprovados, procure captar mais currículos ou analise de novo os duvidosos para ver se não passou despercebido alguém que valha a pena incluir. O ideal é ter pelo menos cinco bons candidatos para entrevistar pessoalmente para cada vaga disponível.

Obviamente, o rastro serve como triagem, não como certeza, já que papel aceita tudo e as informações precisarão ser checadas com rigor na entrevista.

Conduza entrevistas eficazes

Uma entrevista completa, para uma função estratégica, pode demorar duas horas ou mais, se o candidato for ótimo, ou apenas alguns minutos, caso não haja afinidade entre as partes. Alguns entrevistadores seguem o mesmo roteiro de perguntas para todos os candidatos, inclusive para os que, mentalmente, já foram descartados nos primeiros minutos, apenas por educação. Com isso, acabam se cansando e perdem um tempo que poderia ser utilizado com quem realmente vale a pena.

Se houver muitos bons candidatos ou se alguém morar longe de sua cidade, sugiro que uma primeira entrevista mais curta seja feita por Skype, FaceTime ou por qualquer aplicativo em que as pessoas possam conversar visualmente. Isso dará uma boa ideia sobre perfil (tom de voz, postura), articulação verbal, objetividade etc.

Nessa entrevista mais rápida, avalie como a pessoa fala, gesticula e se movimenta, pois isso poderá confirmar ou mudar sua análise prévia sobre seu perfil. Os técnicos têm um tom de voz mais baixo; falam pausadamente; pensam alguns segundos antes de dar qualquer resposta; gesticulam pouco; são formais e costumam dar respostas curtas. Os acelerados têm um tom de voz mais alto; falam rápido; respondem de imediato, quase sem pensar; gesticulam bastante; são fisicamente agitados e demonstram muita ansiedade. Os sociáveis têm um tom de voz mais agradável; costumam levar a conversa para o lado pessoal, procurando se adaptar ao entrevistador; tendem a ser os mais caprichosos nos detalhes (roupa, maquiagem, cabelo) e procuram criar intimidade, como se você fosse um amigo ou conhecido.

Conhecer a personalidade do candidato permitirá que você só chame para uma entrevista presencial aqueles cujo perfil se encaixa com o cargo oferecido. Atingidos os pré-requisitos, convoque os melhores candidatos para uma entrevista presencial. Para isso, sugiro um roteiro de perguntas com base em três grandes pilares:

a. **Vida pessoal (infância, adolescência e vida adulta);**
b. **Formação acadêmica.**
c. **Rastro profissional.**

Quanto mais importante o pilar, maior a quantidade de perguntas relacionadas a ele. Se for necessária muita experiência, o rastro pesa bastante; se for alguém muito jovem, as questões pessoais têm mais relevância; se o cargo exigir conhecimento teórico, a formação acadêmica tem grande peso.

Quanto maior for o potencial do candidato, maior precisará ser o número de perguntas e vice-versa. Você também poderá pular algumas perguntas, adaptá-las ou acrescentar outras voltadas a sua realidade.

Roteiro de perguntas

a. **Vida pessoal (infância, adolescência e vida adulta)** – O objetivo principal é conhecer a estrutura da personalidade, entender como os valores foram construídos e como a pessoa lida com aspectos emocionais, financeiros e familiares.
   1. Resuma sua infância.
   2. Como era sua relação com pais e irmãos?
   3. Qual era o trabalho de seus pais? Descreva a relação deles com o trabalho.
   4. O que você mais gostava de fazer quando era criança?
   5. O que você menos gostava de fazer quando era criança?
   6. Como lidava com dinheiro? Tinha mesada?
   7. Com que idade começou a trabalhar?
   8. Quem foi sua maior referência positiva na infância/adolescência?
   9. Como era sua turma de amigos na adolescência? O que mais faziam juntos?
   10. Quem bancava suas despesas pessoais na adolescência?
   11. Como foi sua transição da adolescência para a vida adulta?
   12. Com que idade saiu da casa dos pais?
   13. Como é sua relação atual com pais e irmãos?

14. Como está sua saúde?
15. Tem algum hobby? Como se dedica a ele?
16. Pratica atividade física? Quantas horas por semana?
17. Qual sua renda mensal atual ou seu último salário?
18. Como é sua vida conjugal?
19. Qual sua maior prioridade pessoal atualmente?
20. Qual seu maior sonho de consumo?

b. **Formação acadêmica** – O objetivo principal é conhecer como a pessoa lida com os estudos, entender como construiu suas referências teóricas e como ela se atualiza.
1. Estudou em escola pública ou privada?
2. Como eram suas notas em comparação às dos colegas na infância?
3. Quantas vezes foi reprovado até a adolescência?
4. De qual matéria mais gostava na infância?
5. De qual matéria menos gostava na infância?
6. Até que idade estudou formalmente?
7. Como escolheu seu curso universitário?
8. Quanto tempo demorou para concluí-lo?
9. Acertou na primeira ou mudou várias vezes?
10. Como eram suas notas em comparação às de sua turma na faculdade?
11. Obteve algum destaque ou prêmio acadêmico? Qual?
12. Que assuntos você aprende rápido?
13. Que assuntos você demora para aprender?
14. Que outros treinamentos com mais de dois dias de duração você fez na carreira?
15. Pensa em continuar estudando (pós-graduação, mestrado)? Por quê?

16. Quantos livros costuma ler por ano? Sobre que assuntos você mais gosta de ler?
17. Quais os últimos cinco livros que você leu? Pode resumi-los?
18. Além de livros, o que você costuma ler? Quanto tempo de leitura por semana?
19. Quantas horas, em média, você estuda em casa por semana?
20. Domina um segundo idioma? Qual sua fluência?

c. **Rastro profissional** – O objetivo principal é conhecer como a pessoa lida com trabalho, carreira, profissão e perspectivas futuras.
   1. Com que idade teve o primeiro emprego formal?
   2. Quanto ganhava?
   3. Descreva todos os seus empregos e os motivos da saída de cada um deles.
   4. Já foi promovido ou comandou pessoas? Como foi a experiência?
   5. Quanto tempo chegou a passar no trânsito ou deslocamento (tempo gasto para ir e voltar) em cada emprego? Qual o limite aceitável atualmente?
   6. Se eu pedisse para colegas de empresas descreverem suas principais qualidades, o que eles diriam?
   7. Se eu pedisse para colegas de empresas descreverem suas principais deficiências, o que eles diriam?
   8. Se eu pedisse para seus últimos chefes descreverem seus pontos fortes, o que eles diriam?
   9. Se eu pedisse para seus últimos chefes descreverem seus pontos fracos, o que eles diriam?
   10. Qual foi o trabalho mais frustrante de sua vida profissional? Por quê?

11. Qual seria o emprego dos seus sonhos? Por quê?
12. Descreva seus três piores erros profissionais.
13. Descreva seus três maiores sucessos profissionais.
14. Qual pessoa é sua referência profissional? Por quê?
15. Com que tipo de pessoas você sente dificuldades de trabalhar?
16. Você se vê como um líder ou prefere funções que dependam apenas de você? Por quê?
17. Você prefere ambiente de trabalho calmo e silencioso ou alegre e animado (escolha um dos extremos)?
18. Você prefere seguir regras claras ou ter total autonomia (escolha um dos extremos)?
19. Fica mais à vontade ouvindo ou falando (escolha um dos extremos)?
20. Seu ritmo de trabalho é mais lento ou acelerado (escolha um dos extremos)?
21. Prefere salário fixo e previsível ou salário variável (comissões representam acima de 70% da remuneração)?
22. Você gosta de falar em público ou prefere evitar? Explique.
23. Já teve o próprio negócio? Como foi a experiência?
24. Pensa em ter o próprio negócio? Explique.
25. Você está satisfeito com o equilíbrio entre vida pessoal e profissional? Explique.
26. Você está satisfeito com o progresso em sua carreira? Explique.
27. Você tem reserva financeira?
28. Como investe seu dinheiro?
29. Quais são seus objetivos financeiros em médio e longo prazos?
30. Seu marido/sua esposa trabalha? Como dividem as despesas?

Quando encerrar as perguntas e estiver satisfeito com as respostas, abra espaço para que o candidato faça perguntas. Essa fase será fundamental para que as expectativas fiquem claras e você possa falar mais a respeito de como é a empresa, o cargo, o que se espera do candidato, qual a cultura, o grau de tolerância com erros, a política de treinamentos etc. Conte toda a verdade e não omita nada, pois, se você contar apenas a parte agradável da história, pode até seduzir com maior facilidade, mas isso pode custar muito caro se nos primeiros dias o recém--contratado perceber tratar-se de exagero e sentir-se enganado.

Obviamente, você precisa "vender seu peixe", falar dos benefícios, das boas perspectivas e demonstrar interesse pelo candidato. Entretanto, sugiro explicar os problemas atuais que a empresa atravessa, os desafios em curto e médio prazos, como você fará as cobranças e o que espera das atitudes e dos resultados do contratado. Sugiro até exagerar nos desafios e nas dificuldades do cargo, inclusive para testar o real interesse da pessoa, pois ficará muito mais fácil ser exigente quando necessário.

Terminada a entrevista e colocadas as cartas na mesa, chegou a hora de decidir o que fazer.

Monte uma matriz decisória e bata o martelo

Com base em todas as informações obtidas pelo currículo, pela entrevista prévia por Skype e pela entrevista presencial (pode ser mais de uma se você estiver em dúvida), chegou a hora de tomar a decisão.

Seu rigor na escolha precisará seguir o bom senso. Você deverá ser bastante exigente se sua empresa já tem reputação positiva, apresenta bons resultados e oferece boas condições de trabalho. Se, por outro lado, estiver começando o negócio e só conseguir oferecer o básico, precisará ser um pouco menos exigente e correr mais riscos na escolha.

Para facilitar sua tomada de decisão, sugiro o preenchimento dos dezesseis quadrantes que você verá a seguir com seis opções do que fazer, levando em consideração dois grandes pilares:

1. **Perfil para a função (técnico, acelerado e sociável).** Ruim, médio, bom ou ótimo?
2. **Rastro (histórico pessoal, acadêmico e profissional).** Ruim, médio, bom ou ótimo?

Opções:
a. Descartar.
b. Arriscado.
c. Muito arriscado.
d. Pouco arriscado.
e. Contratar.
f. Alto potencial.

Por exemplo:
O que fazer na posição 7 (Perfil bom e rastro bom)?
O que fazer na posição 12 (Perfil mediano e rastro ótimo)?

	RUIM	MÉDIO	BOM	ÓTIMO
ÓTIMO	1	2	3	4
BOM	5	6	7	8
MÉDIO	9	10	11	12
RUIM	13	14	15	16

PERFIL (eixo vertical) / **RASTRO** (eixo horizontal)

O que você verá no quadro seguinte é minha opinião sobre como proceder nas dezesseis situações, sempre buscando a alta performance. Depois, compare com sua análise.

	RUIM	MÉDIO	BOM	ÓTIMO
ÓTIMO	1 Descartar	2 Arriscado	3 Contratar	4 Alto potencial
BOM	5 Descartar	6 Arriscado	7 Contratar	8 Contratar
MÉDIO	9 Descartar	10 Desespero	11 Arriscado	12 Arriscado
RUIM	13 Descartar	14 Descartar	15 Descartar	16 Descartar

PERFIL (eixo vertical)

RASTRO (eixo horizontal)

MINHAS SUGESTÕES:

Situações 1, 5, 9 e 13 (Descartar) – São casos desagradáveis, mas fáceis de decidir. Candidato com rastro ruim, principalmente com informações sonegadas no currículo e percebidas na entrevista, deve ser descartado. Muitas vezes, o perfil é ótimo para a função, mas você percebe mentiras ou contradições durante a conversa, como demissões mal explicadas (sempre a culpa é do outro); cursos que alega ter feito, mas não consegue comprovar; segundo idioma em nível básico que no currículo consta como avançado; desconhecimento técnico de assuntos que afirma dominar e outras incongruências reforçam o diagnóstico de rastro ruim.

Situações 14, 15 e 16 (Descartar) – Perfil ruim significa que a pessoa tem características de personalidade opostas àquelas de que você necessita. Por exemplo:
- O cargo exige formalismo, concentração e disciplina, mas o candidato demonstra enorme informalidade, fala pelos cotovelos e admite que não consegue ficar quieto por dez minutos.
- O cargo pede extroversão e habilidade para lidar com o público, mas o candidato demonstra timidez, introversão e confessa não gostar de lidar com muitas pessoas.
- O cargo pede dinamismo, trabalho sob pressão e remuneração 80% variável, mas o candidato diz que não produz bem sob pressão e prefere salário fixo.

    Mesmo com bom rastro, a pessoa teria de fazer um esforço descomunal para realizar um trabalho oposto ao de sua estrutura de personalidade, ou seja, além de todos os desafios de um novo emprego, ainda precisaria mudar seu jeito de ser.

Situação 10 (Desespero) – O indivíduo tem perfil e rastro medianos. Só contrate se estiver desesperado para preencher a vaga e se realmente não houver opção.

Situações 2 e 6 (Arriscado) – O perfil é bom ou ótimo, mas com rastro mediano. É arriscado, pois, apesar da personalidade adequada para a função, o passado indica chance de problemas. Histórico mediano significa que a pessoa aproveita pouco seu perfil e, provavelmente, não se destacou por suas atitudes.

Situação 11 (Arriscado) – Perfil mediano e rastro bom. É menos arriscado que o 6, por exemplo, pois, apesar de o perfil não ser ideal para a função, é compensado com um bom histórico.

Situação 12 (Arriscado) – Perfil mediano e rastro ótimo. É uma variação melhor que a 11, pois o rastro é quase impecável e, por isso, o risco seria menor.

Situações 3, 7 e 8 (Contratar) – São candidatos com bom potencial e boas chances de dar certo. Você deveria contratá-los e, claro, cuidar muito bem deles.

Situação 4 (Alto potencial) – Perfil e rastro ótimos. É o sonho de qualquer líder que busca resultados excepcionais. Contrate correndo, pois pessoas assim são raras. Entretanto, costumam ser exigentes e querem trabalhar em empresas com potencial tão bom quanto o delas.

Agora que você concluiu os processos de avaliação de sua equipe atual e a contratação de novos profissionais, provavelmente já tem um time com boa chance de alcançar a alta performance.

No próximo capítulo, veremos como aproveitar ao máximo esse potencial para transformar a possibilidade de obter ótimos resultados em fatos concretos.

7
Construindo a alta performance

Diga como vai me medir, que lhe direi como vou me comportar.
Jack Welch

Agora que você já tem as pessoas certas nos lugares certos e sabe como fazer reposições, é hora de dar mais um passo em busca de resultados excepcionais. Equipes bem-sucedidas dependem muito da dedicação e do talento de seu líder para tocar a gestão do dia a dia. No entanto, muitas vezes esse sucesso torna o gestor refém de si mesmo, pois ele sofre uma grande tentação de centralizar decisões e executar tarefas desnecessárias.

Isso pode ser bom para o ego de alguns, mas é muito arriscado para o negócio, já que, se o chefe ficar doente ou cometer muitos erros, a empresa afunda. Por isso, tornam-se fundamentais algumas estratégias para formar e desenvolver pessoas tão ou mais competentes que você, para diminuir riscos e aumentar significativamente os acertos.

A seguir, veremos quatro práticas que líderes de alta performance devem incorporar: implante a cultura da transparência; motive seus colaboradores; potencialize a maturidade; dê feedbacks.

Implante a cultura da transparência

Dar exemplo não é a melhor maneira de influenciar os outros.
É a única.
Albert Schweitzer

A cultura de uma empresa, na prática, se resume a regras que não estão escritas em lugar algum, mas que parametrizam o comportamento das pessoas no dia a dia.

Quem é promovido recebe a melhor remuneração ou é mais elogiado? É a pessoa ousada ou a conservadora? Aquela com iniciativa ou a que obedece sem questionar? O ambiente é formal ou informal? As regras são rígidas ou flexíveis? Há treinamentos constantes ou cada um se vira como pode?

Como o gestor lida com conflitos? Ele medeia ou fica em cima do muro? É pontual ou está sempre atrasado? É respeitoso ou grosseiro? É reservado ou caloroso? É sincero ou dissimulado? É organizado ou desorganizado? É discreto ou indiscreto? É mesquinho ou generoso? É paciente ou impaciente? É tolerante ou intolerante? Delega ou abdica tarefas? É coerente ou incoerente?

Em equipes enxutas, o jeitão do chefe define a cultura, e sua maneira de agir tende a ser seguida, pois ou as pessoas se adaptam ou pulam fora. Portanto, o exemplo pessoal é muito mais importante que o discurso ou qualquer regra escrita.

Todos nós temos dificuldade de realizar algumas tarefas; admitir falhas ou equívocos é demonstração de humildade e, ao mesmo tempo, de segurança. As pessoas respeitam o líder que admite o fato de haver gente mais competente que ele em determinadas áreas. Já presenciei líderes de alta performance exporem suas dificuldades e seus erros abertamente e ganharem ainda mais respeito por parte da equipe. Por isso, a atitude mais construtiva em qualquer ambiente de trabalho é a honestidade intelectual. Por exemplo: "Pessoal, vocês sabem que não sou bom relações-públicas. Então, por favor, sejam calorosos na visita ao novo fornecedor"; "Infelizmente, tivemos um péssimo resultado nas vendas do trimestre e teremos de renegociar prazos de pagamentos com todos os fornecedores. Não é motivo de pânico, mas não quero esconder nada e conto com um esforço extra para vencermos rapidamente essa dificuldade"; "Demiti Fulano, pois, apesar dos bons resultados, estava criando conflitos com quase todos os clientes. Ele foi alertado durante todo o semestre, mas, infelizmente, não conseguiu mudar seu comportamento, e senti que precisava agir"; "Decidi vender 49% das ações da empresa para um grupo de investidores. Continuarei no comando, mas a partir do próximo mês deveremos produzir balanços mais detalhados e seremos auditados a cada semestre. A vantagem é que teremos capital para expandir operações em curto prazo. Conto com o comprometimento de todos!".

Se alguém for demitido ou promovido, explique as razões para isso. Se trocar de fornecedor, perder um cliente importante ou contratar alguém de fora da empresa, compartilhe a informação. Não deixe que boatos se espalhem para depois serem desmentidos.

Para alcançar excelentes resultados, a equipe deve ir além das simples obrigações. Contudo, esse algo a mais só existirá se as pessoas sentirem que o líder tem credibilidade e transmite confiança. Quanto mais transparentes forem as informações, melhor.

Desenvolver a cultura da transparência e conquistar autoridade moral são os passos iniciais no caminho da alta performance. O próximo é analisar o que efetivamente motiva cada um de seus subordinados.

Motive seus colaboradores

Motivação é o que te faz começar. Hábito é o que te faz continuar.
Jim Ryun

No livro *Quebre todas as regras*, os autores Marcus Buckingham e Curt Coffman apresentam os resultados de dois grandes estudos realizados ao longo de vinte anos: o primeiro pesquisou as necessidades de mais de um milhão de funcionários no ambiente de trabalho; o outro estudo envolveu entrevistas com mais de oitenta mil líderes e analisou as diferenças entre os melhores e os piores gestores.

Uma das conclusões mais importantes das pesquisas está relacionada com os motivos pelos quais pessoas talentosas são atraídas para uma empresa e as razões pelas quais elas permanecem motivadas e produtivas.

Elas são atraídas por:

- líderes carismáticos;
- benefícios generosos;
- perspectiva de crescimento;
- reputação da empresa.

Entretanto, o tempo que permanecerão na empresa, seu nível de comprometimento e sua produtividade têm a ver com a relação com seu chefe imediato.

Profissionais de alta performance respeitam e admiram a fórmula honestidade intelectual + senso de justiça, que acaba gerando **autoridade moral**.

O líder com genuína autoridade moral gera maior comprometimento e dedicação por parte dos colaboradores, independentemente de seu estilo de liderança (protetor, trator, centralizador, empreendedor ou misto).

Excelentes gestores sabem que precisam entender o funcionamento do mapa mental de todo subordinado para aproveitar o que cada um tem de melhor. Para que o relacionamento chefe/subordinado seja cada vez mais produtivo, você precisará analisar os fatores que motivam as pessoas para, dentro do possível, atender suas necessidades materiais e psicológicas.

As empresas têm cinco motivadores para oferecer aos subordinados:

Dinheiro

Está relacionado com os mecanismos de recompensa monetária. Aí entra o básico, como salário fixo, fundo de garantia, 13º salário, férias remuneradas etc., e valores extras que você pode proporcionar com base em produtividade, como bônus, salários extras, porcentagem do lucro. Pessoas que têm esse motivador preponderante na personalidade tenderão a trabalhar melhor com um salário variável proporcionalmente maior, ou seja, quanto mais produzirem resultados, maior a remuneração. Também preferem autonomia e flexibilidade de horários, o que não é problema se a remuneração estiver atrelada aos resultados.

Segurança/conforto

Tem relação com estabilidade do emprego, regras claras e bom ambiente de trabalho. Há pessoas que preferem salário fixo e garantido em detrimento de uma remuneração variável que poderia ser maior. Elas gostariam do extra, mas não da insegurança que acarretaria.

Preferem horários flexíveis para que possam estudar, cuidar dos filhos ou praticar o hobby de sua preferência. Essa flexibilidade dá uma margem de manobra que as grandes companhias não costumam ter. Você pode, por exemplo, liberar o colaborador para fazer alguns trabalhos em casa ou ter um banco de horas informal.

Também dão muito valor a trabalhos em que possam planejar o futuro com baixo risco. Se estiverem felizes, podem passar muitos anos no mesmo emprego, produtivas e motivadas.

Aprendizado

Equipes enxutas são verdadeiras escolas se o esforço for bem direcionado, pois o profissional pode aprender um pouco de tudo informalmente durante o expediente. Se o colaborador deseja aprendizado intenso, ofereça a ele os melhores treinamentos que puder bancar, além de lhe ensinar pessoalmente o que você faz melhor, pois líderes bem-sucedidos têm uma maneira especial de executar algumas tarefas com um estilo peculiar.

Entretanto, não se esqueça de que há pessoas extremamente produtivas que preferem a prática e não gostam de teoria. Nesses casos, um treinamento muito teórico pode ser visto como punição, não como prêmio.

Use também a *expertise* de seus colaboradores e os incentive a ensinar e transmitir seus conhecimentos aos colegas. Muitas vezes, os melhores treinamentos vêm de quem está dentro da empresa.

Reconhecimento

Trata-se da forma como o gestor proporciona aprovação social ao indivíduo: elogios públicos, promoções e incentivos. Se o funcionário valoriza esse motivador, faça elogios (desde que sinceros) em público e aumente suas responsabilidades, visando transformá-lo em alguém admirado e competente no que faz.

Trabalhos ou desempenhos consistentemente acima da média devem ser reconhecidos e premiados. Enalteça explicitamente as pessoas mais dedicadas e comprometidas com os resultados da empresa.

Um norteador mental comum para quem tem esse motivador em alta intensidade é: "Gosto de trabalhar com um líder que identifique e reconheça minhas virtudes".

Autorrealização

Em equipes enxutas, é comum o profissional participar de um novo projeto desde o início e em todas as etapas até o fim. A grande vantagem é que ele pode acompanhar, quase diariamente, os resultados de seu esforço e, quando necessário, fazer ajustes e melhorias imediatas.

Um norteador mental comum para quem tem esse motivador em alta intensidade é: "O trabalho me completa como ser humano, e ter liberdade de escolha gera maior comprometimento para buscar bons resultados para o negócio".

O líder que se preocupa, de verdade, em motivar e dar melhores condições de trabalho a seus colaboradores, tanto em relação aos benefícios materiais quanto aos emocionais, recebe como contrapartida dedicação e comprometimento. Eles darão bom atendimento aos clientes, controlarão os custos e melhorarão os processos, por conta própria, sem ninguém mandar. Aos poucos, sentirão o que é ter "dor de dono", ou seja, agirão como proprietários ao pensar: "Gosto do que faço, sou tratado com justiça e tenho todas as condições de dar o meu melhor. Farei o possível e um pouco mais para preservar esse ótimo emprego".

A boa empresa é aquela em que esforço, dedicação e bons resultados são recompensados de maneira proporcional aos méritos de cada um.

Potencialize a maturidade

Trate igualmente os iguais e desigualmente os desiguais, na medida de sua desigualdade.

ARISTÓTELES

Agora que você já entendeu a importância de construir autoridade moral e sabe como motivar adequadamente, chegou a hora de avaliar a maturidade de cada subordinado para as principais tarefas. Muitos líderes se orgulham ao afirmar que tratam todos da mesma maneira e, em muitos casos, essa atitude está equivocada, pois as pessoas são diferentes e precisam de diferentes estímulos para evoluir.

O escritor e consultor Ken Blanchard afirma, há mais de trinta anos, que o líder deve avaliar a maturidade de seus subordinados para realizar as principais tarefas e precisa usar diferentes estratégias para que cada um evolua dentro de sua capacidade. Adaptei alguns conceitos da teoria de Blanchard em minhas consultorias e, para resumir, a maturidade de um profissional para realizar uma tarefa é a soma de dois conhecimentos: o explícito e o tácito.

Conhecimento explícito tem a ver com o domínio da teoria. Um engenheiro-agrônomo, por exemplo, passa meses durante a graduação estudando o cultivo da soja: variedades de sementes; época de plantio; adubação; controle químico de ervas daninhas, insetos, doenças etc. Todo esse conhecimento teórico não garante que ele conduza com sucesso um ciclo completo do plantio à colheita, pois muitas vezes falta-lhe a experiência prática, que lhe permitiria lidar com imprevistos e dificuldades.

Conhecimento tácito tem relação com a prática e com a habilidade para realizar a tarefa. Muitos agricultores que nunca tiveram uma única aula teórica sobre o cultivo da soja utilizam o conhecimento prático para obter excelentes resultados, pois usam a experiência de muitos anos para fazer o manejo da cultura.

O agrônomo recém-formado, com ótimo domínio teórico, depois de alguns anos também obterá o prático. O agricultor experiente que participa de dias de campo e treinamentos teóricos agregará informações técnicas preciosas ao seu vasto conhecimento prático.

Para resumir, o conhecimento tácito precisa de tempo e muita tentativa e erro para evoluir, mas pode ser acelerado por meio do conhecimento explícito.

Para facilitar a análise, poderíamos avaliar a maturidade de alguém para realizar determinada tarefa em quatro níveis.

M1 – Baixa maturidade   Pouco ou nenhum domínio.
M2 – Média maturidade   Algum domínio.
M3 – Alta maturidade   Muito domínio.
M4 – Altíssima maturidade   Total domínio.

Obviamente, a maneira de liderar deverá levar em conta o grau de maturidade de cada subordinado nas diferentes tarefas.

A pessoa com índice M1 em determinada tarefa precisa de treinamento intensivo para evoluir até o nível M2; com índice M2, além do treinamento precisará ter acompanhamento do chefe e estímulo para testar na prática seus conhecimentos (inclusive cometendo alguns erros) e evoluir até o nível M3; quando alcançar este índice, a pessoa precisará ter liberdade e incentivo para aumentar ainda mais sua confiança e evoluir até o nível M4; ao chegar a este último patamar, deve receber delegação ampla, pois já atingiu a excelência na execução da tarefa.

É importante ressaltar que a maioria dos profissionais desempenha não mais que três ou quatro tarefas de fato relevantes para alcançar ótimos resultados. Um vendedor, por exemplo, deveria ter alta ou altíssima maturidade nas seguintes tarefas: conhecer tecnicamente seus produtos e serviços, ter habilidade para vender esse pacote para os clientes certos e cumprir as atribuições internas (fazer relatórios no prazo, estudar a viabilidade financeira dos clientes, bater as metas etc.).

Se você possui uma equipe de vendas com todos os vendedores com índice M4 nas três tarefas, certamente alcançará a alta performance. É evidente que o pessoal de apoio (compras, logística, análise de crédito, financeiro etc.) também deverá ter como objetivo o alcance da alta maturidade para executar as tarefas mais importantes.

Fatores que interferem na velocidade da evolução da maturidade:

- **Perfil.** A pessoa com perfil adequado às principais funções ou tarefas (assunto abordado no capítulo 4)

tenderá a alcançar o nível M3 ou M4 com maior facilidade e velocidade. Pessoas com perfil técnico tenderão a aprender tarefas que exijam concentração com mais rapidez do que as de perfil acelerado ou sociável, por exemplo.
- **Potencial mental.** Há pessoas que aprendem algumas tarefas e assuntos rapidamente, por terem maior facilidade que a média. Será fundamental analisar quanto cada subordinado assimila de conhecimento teórico e quanto tempo leva para começar a aplicar a teoria na prática.
- **Disposição.** Profissionais com disposição alta aprendem mais rapidamente do que pessoas com disposição mediana ou baixa, pois são mais interessados e automotivados. A disposição (alta ou baixa) costuma ser uma característica estrutural de personalidade, mas pode ser atenuada ou potencializada pela forma como é comandada. Significa que um chefe egoísta e mesquinho pode baixar a disposição do grupo de trabalho, e um líder que se preocupa genuinamente com o desenvolvimento das pessoas pode aumentar a disposição da maioria.

Na prática, é comum que pessoas com disposição alta e potencial mental mediano passem de M1 para M4 em determinadas tarefas mais rapidamente do que pessoas com potencial mental alto e disposição baixa.

Para concluir: quanto mais baixa a maturidade do funcionário na tarefa, maior a necessidade de treinamento e acompanhamento; quanto mais alta, maiores devem ser a autonomia e a liberdade.

Dê feedbacks

Não remova uma mosca da testa de alguém com um martelo.
Provérbio chinês

Feedbacks são informações dadas ao profissional sobre seu desempenho e sobre como sua atuação está afetando outras pessoas. Todos nós precisamos de elogios, para reforçar atitudes positivas, e também de críticas, para ajustar deficiências. Uma das habilidades mais difíceis para qualquer líder é elogiar na hora certa e criticar sem causar ressentimento. Se você for muito duro pode passar a imagem de alguém grosseiro e criar um ambiente ruim. Se for muito complacente, pode transmitir falta de pulso e gerar um clima de relaxamento, em que cada um faz apenas o que deseja.

Em equipes enxutas, dar feedbacks é ainda mais relevante, pois não costuma haver níveis hierárquicos que filtrem as relações entre as partes. Para que a mensagem seja bem entendida e assimilada, seguem oito dicas:

- **Seja empático, mas sincero**

Empatia é a habilidade de se colocar no lugar da outra pessoa e ajuda a compreender as razões que levam alguém a tomar decisões que jamais tomaríamos, ou a entender por que alguém não consegue executar determinadas tarefas. Procure analisar por que a pessoa tem resultados ruins: é por baixa maturidade (M1) ou baixa disposição?

Se for falta de disposição, seja franco e deixe claras as consequências, inclusive alertando para uma possível demissão caso a mudança não ocorra. Se for falta de experiência ou de treinamento, ensine como fazer e acompanhe a mudança, que provavelmente será gradual, mas contínua. Ou seja, estimule a evolução de M1 para M2, depois para M3 até chegar a M4, em cada tarefa importante.

- **Seja específico**

Dizer "Este relatório ficou excelente e os itens 1, 2, 3 e 4 estão impecáveis" é melhor do que dizer "Você faz bons relatórios".

Se possível, explique do que mais gostou:

— A ortografia está impecável, o conteúdo está claro, e a sequência, lógica. Parabéns!

Quando o subordinado fizer, por exemplo, uma ótima apresentação em um evento importante, elogie com detalhes:

— Sua apresentação foi primorosa. Você demonstrou domínio do assunto, objetividade e, principalmente, respondeu todas as perguntas com paciência e segurança. Tenho certeza de que o cliente gostou.

Elogios sinceros e detalhados reforçam e estimulam os bons comportamentos, pois indicam um caminho a ser repetido, não só por quem recebeu, mas para todos os demais, pois dão uma referência, um padrão a ser seguido. A tendência é que aumentem o nível de maturidade e a confiança na tarefa elogiada.

Se for uma crítica, evite comentários vagos: "O relatório tem falhas", ou "Não ficou bom", ou "Você precisa caprichar mais". Especifique os acertos e os erros e diga como gostaria que fosse feito:

— As partes 1, 2 e 3 do relatório estão bem escritas e com todas as informações relevantes. A parte 4, além de conter vários erros, está muito resumida e sem uma conclusão objetiva. Então, por favor, reescreva toda essa parte, pois temos um padrão de qualidade a ser seguido. Tenho certeza de que você saberá como fazer.

- **Critique o comportamento, não o indivíduo**

    Não misture a situação criticada com a pessoa. Diga "Esse trabalho merecia mais atenção" em vez de "Você é um desleixado".

    Dizer que a pessoa teve um mau desempenho em uma tarefa específica é muito mais eficiente do que chamá-la de incompetente ou preguiçosa.

    No primeiro caso, você oferece oportunidade de melhoria; no segundo, você dá a entender que a pessoa é caso perdido. Se o funcionário for realmente desqualificado, você já tentou de tudo e não houve mudança de comportamento, então demita, mas não ofenda, pois críticas muito agressivas criam um ambiente de tensão para toda a equipe.

    Logo após criticar, explique que não há nenhum problema pessoal e coloque-se à disposição para ajudar o indivíduo a melhorar o desempenho ou o comportamento, deixando claro que você ainda conta com ele.

    Nunca é agradável criticar, mas se você seguir essas regras básicas, além de não ofender, provavelmente será respeitado por sua assertividade e dará oportunidades reais de melhoria à pessoa criticada.

- **Mantenha uma postura equilibrada**

Ao fazer uma crítica, modere seu tom de voz e seu gestual. As pessoas prestam mais atenção e absorvem melhor informações que venham de alguém que demonstra equilíbrio emocional.

Não grite, não seja grosseiro e não use palavrões, pois, se isso ocorrer, a pessoa se sentirá humilhada e, ao mesmo tempo, ofendida. Em vez de melhorar o comportamento, ela provavelmente ficará desmotivada. Muitas pessoas se conformam com esse tipo de agressão, o que as torna ainda mais apáticas, pois se acostumam a produzir apenas na base do chicote. Gente talentosa ou de alto potencial não aceita tratamento inadequado por muito tempo.

Também evite excesso de ironia, brincadeiras desagradáveis ou intimidade indevida, como apelidos humilhantes, pois essa abordagem deixará a pessoa na defensiva ou em dúvida: "O que ele quis dizer com isso?", "Ele está brincando ou está me criticando?".

Se a crítica é justa, deve ser feita de maneira equilibrada e segura. Quando há esse cuidado, a pessoa tende a admitir a falha e procura resolver o problema sem procurar culpados.

- **Fale na hora certa**

Quando realizado em público, o elogio será ainda mais relevante para quem recebe.

— Rodrigo ultrapassou em 10% a meta de unidades vendidas, em 20% a meta de lucros e recebeu avaliação positiva de 95% dos clientes atendidos. É o melhor desempenho individual que tivemos nos últimos dez anos da empresa. Ele merece, além do bônus em dinheiro, uma salva de palmas e minha gratidão, por demonstrar tanto empenho e comprometimento com a empresa!

Por outro lado, a crítica sempre deve ser feita em particular, para não rotular a pessoa. Imagine uma crítica pesada recebida em público:

— Jair, você parece desmotivado e apático. Se eu fosse seu cliente pensaria dez vezes antes de comprar de alguém como você.

Um comentário tão incisivo só deveria ser feito pessoalmente (jamais por telefone ou e-mail) e sem testemunhas, para que a pessoa pudesse primeiro assimilar, depois explicar seus motivos e por fim propor mudanças. Feito em público, teria seu impacto negativo multiplicado pelo número de observadores e deixaria a pessoa exposta ao ridículo.

- **Reconheça o esforço**

Sempre há pessoas mais dispostas a se capacitarem, seja aprendendo por conta própria, seja aproveitando as oportunidades de treinamento que recebem da empresa, seja contribuindo com outras áreas. Ainda assim, todo esse esforço pode demorar alguns meses para se transformar em resultados efetivos, enquanto o profissional ainda não tem maturidade nos níveis 3 ou 4. Por isso, é fundamental reconhecer o esforço extra por meio de feedbacks corretivos:

— Mário, percebo todo o seu empenho e toda a sua dedicação, chegando sempre mais cedo e sendo o último a sair. Também observo que você procura acertar, mas fica muito ansioso e acaba perdendo oportunidades de fechar alguns negócios por precipitação. Tente ficar mais calmo, pois você tem todo o meu apoio.

- **Celebre as conquistas**

Festejar, mesmo as pequenas conquistas, como o atingimento da meta mensal, um novo cliente ou a promoção de alguém do grupo, é uma forma de feedback coletivo que contagia de maneira positiva o ambiente. Uma confraternização de meia hora energiza as pessoas, principalmente se o objetivo for comemorar vitórias que envolvem o esforço de todos. A maioria das pessoas trabalha mais disposta e motivada quando conhece o lado humano de seus colegas.

Alguns podem achar perda de tempo, mas não é. Equipes de alta performance conseguem manter um ambiente estimulante e até divertido, em especial quando as coisas estão dando certo.

- **Aceite críticas e sugestões**

Muitos líderes gostariam de estimular uma maior participação de seus funcionários na gestão do negócio, mas têm medo de ouvir críticas, reclamações ou gerar conflitos por divergências de opinião. Não se esqueça de que pessoas comprometidas querem participar intensamente do dia a dia da empresa e, além de dar sugestões, fazer críticas a respeito de pontos fracos. Essa liberdade costuma gerar chances de melhorias nos processos do negócio.

Procure ouvir os argumentos de maneira serena e peça complementação das informações embasada em dados mensuráveis.

— Chefe, sei que você está fazendo o possível, mas nossos produtos estão chegando com mais de sete dias de atraso e corremos o risco de perder muitos clientes.

— Você tem razão, mas sabe que a logística é complexa no país.

— É verdade, mas não podemos correr o risco de prometer o que temos dificuldade de cumprir. Sugiro que mudemos o prazo de entrega enquanto não conseguirmos ajustar um modelo mais eficiente, pode ser?

— Estudarei o caso ainda hoje com a transportadora e em três dias darei uma resposta objetiva de como atuaremos, ok?

Uma sugestão para evitar conflitos desnecessários e, ao mesmo tempo, definir as demandas mais urgentes é ter um e-mail exclusivo para receber sugestões de melhorias, além de fazer uma reunião mensal para debater e implementar o que for mais relevante.

Cada pessoa tem uma forma característica de se expressar e às vezes, mesmo sem querer, passa do ponto ou é muito vaga na comunicação. Para encontrar a medida certa, preste atenção no comportamento de quem recebeu feedbacks: ela manteve o comportamento positivo depois do elogio, ou cessou o mau comportamento depois da advertência?

Comportamento gera comportamento e normalmente as pessoas se tornam espelhos do líder no dia a dia da empresa, pois percebem, consciente ou inconscientemente, o que o agrada ou desagrada.

Conclusão: seus subordinados tratarão colegas e clientes da mesma forma como você os trata. Portanto, é fundamental dar feedbacks justos e frequentes.

A seguir, veremos a análise da posição de alguns colaboradores das cinco empresas dos casos estudados desde o início do livro.

Continuação do caso 1 – Feedback para a equipe do restaurante de Carlos

Marlos, chef – Resultados bons e atitudes medianas

Os clientes elogiam os pratos de Marlos, mas ele é grosseiro com os funcionários e não se compromete com o corte das despesas.

— Marlos, você é um profissional talentoso, mas precisa agir como parte de uma equipe. Nosso restaurante é um empreendimento que precisa gerar lucro, e, se você não se adequar ao controle de despesas, continuaremos tendo prejuízo e precisaremos fechar. Também gostaria que você tratasse seus subordinados com mais respeito, pois a rotatividade na cozinha é alta, o que também afeta o custo. O que me diz?

— Reconheço que com meu preciosismo acabo exagerando nos gastos e também não tinha me dado conta de que a alta rotatividade, além de me sobrecarregar com o treinamento constante dos novos funcionários, gera custos. Vou procurar ser menos rude com o pessoal da cozinha e já comecei um estudo para diminuir as opções de cardápio e também cortar custos que não prejudiquem a qualidade dos pratos.

— Ótimo! Fico muito feliz com seu apoio.

Elza, esposa de Carlos – Resultados medianos e atitudes medianas

Tem um desempenho mediano e se atrasa com frequência, mas alega estar sobrecarregada com outras atividades.

— Querida, sinto que você está sobrecarregada e insatisfeita com minhas cobranças. Como temos uma nova sócia, precisamos tomar uma decisão importante: você prefere pedir demissão do outro emprego para dedicar-se exclusivamente ao restaurante ou sair para colocarmos outra pessoa?

— Entendo seu posicionamento, já que estou acumulando dois empregos e cuidando da rotina familiar. Entretanto, sei que, se não fizermos algo diferente, perderemos todas as nossas economias e ainda teremos dívidas. Prefiro sair do restaurante e manter o emprego diurno, pois ao menos é uma fonte de renda segura e estável.

— Você me ajuda a selecionar outra pessoa para sua função?

— Ajudo.

Aldo, chefe dos garçons e irmão de Carlos – Resultados medianos e atitudes ruins

Atende bem os clientes, porém bebe durante o expediente e dá alguns vexames.

— Aldo, você não consegue parar de beber durante o trabalho, falta ou se atrasa todos os dias e, muitas vezes, tem comportamentos inadequados. Isso me desmoraliza perante os demais e retira toda a minha autoridade como líder.

— Eu sei que às vezes exagero, mas pode ter certeza de que de hoje em diante não beberei durante o trabalho.

— Já conversamos várias vezes sobre esse assunto, mas você não consegue se controlar e chegou ao extremo de beber escondido. Para o bem da empresa e para não destruir nosso relacionamento como irmãos, precisarei desligá-lo a partir de hoje.

— Como sobreviverei sem o emprego?

— Em primeiro lugar, você precisa se tratar e fazer um programa de desintoxicação antes de procurar outro emprego. Consegui uma vaga gratuita em uma ótima clínica com um amigo que ajudei no passado. Primeiro se interne, fique saudável e depois voltamos a conversar, já que preciso salvar o restaurante da falência antes de prometer qualquer outro tipo de ajuda.

— Vou pensar no assunto...

Veiga, garçom – Resultados ótimos e atitudes ótimas

É o melhor funcionário da empresa e merece todo o reconhecimento.

— Veiga, muitas vezes parece que você se importa mais com o restaurante do que eu mesmo: está sempre alerta aos detalhes, ajuda os inexperientes, dá sugestões, trabalha com boa vontade e atende bem os clientes. Infelizmente, precisei afastar meu irmão e gostaria que você assumisse o lugar dele. Acha que está preparado?

— Aldo está doente, mas é uma boa pessoa e me ensinou muito nos últimos meses. Estou preparado e disposto a trabalhar ainda melhor, pois o senhor e merece toda a minha dedicação.

— Tenho certeza de que com seu apoio sairemos do prejuízo em pouco tempo.

As mudanças de equipe foram feitas, a nova sócia está dedicando metade de seu tempo à gestão do restaurante, que, no segundo mês, parou de dar prejuízo e, pelo que tudo indica, começará a dar lucro em breve.

Continuação do caso 2 – Feedback para a equipe da empresa de consultoria em marketing digital de Silmara

Vicente, cinegrafista – Resultados ótimos e atitudes medianas

É excelente tecnicamente, mas ríspido e impaciente com alguns clientes.

— Vicente, você sabe que sou muito exigente, quase chata, mas reconheço que você é o melhor cinegrafista com quem já trabalhei. No começo, você demonstrava dedicação, orientava as pessoas e deixava todos à vontade. Ultimamente, tem perdido a paciência com alguns clientes, o que é péssimo para o negócio, já que a maioria nunca participou de uma filmagem e sua irritabilidade os deixa ainda mais nervosos. O que está acontecendo?

— Realmente, estou mais intolerante por causa do cansaço. Não tiro férias há mais de dois anos e estou filmando festas e casamentos nos fins de semana para complementar a renda.

— Fico contente que você reconheça o problema, mas precisamos resolver a questão da sua sobrecarga de trabalho. Tem alguma sugestão?

— Já que você falou, tenho duas: aumentar meu salário para que eu não precise fazer jornada extra e contratar mais um ajudante.

— Já analisei o caso e, como nossa demanda está crescendo, podemos contratar um ajudante imediatamente. Tem alguma indicação?

— Tenho um colega com excelente formação e que, se bem treinado, pode, no futuro próximo, fazer parte do que faço e dobrar minha capacidade de atendimento. E quanto ao aumento de salário?

— Vamos combinar o seguinte: contratarei seu indicado ou outra pessoa talentosa para você ficar menos sobrecarregado e a partir de agora incluirei uma avaliação de seu trabalho para todos os novos clientes. Você receberá um bônus em dinheiro trimestralmente se as notas da avaliação tiverem média superior a 9. Se o desempenho for impecável daqui a um ano, estudarei um aumento de salário.

— De quanto seria esse bônus?

— 30% do seu salário atual.

— Ok! Reprogramarei minha agenda e terei um desempenho muito melhor.

— Fechado!

Vitória, redatora – Resultados ruins e atitudes boas

É a funcionária mais dedicada que Silmara já contratou, no entanto, seus textos não têm agradado aos clientes.

— Vitória, estou muito satisfeita com seu esforço. Você tem talento e vontade de acertar, mas falta percepção da necessidade de cada cliente, já que seus textos, apesar de bem escritos, refletem apenas sua visão de mundo.

— Obrigada por seus elogios, Silmara. Acho que você tem razão quanto aos textos, pois sou um tanto sonhadora e, às vezes, esqueço de me colocar no lugar do outro. Eu poderia participar das reuniões de pauta e depois entrevistar cada cliente antes de escrever?

— Ótima ideia, Vitória. Você é inteligente e, se melhorar sua empatia, vai fazer um trabalho impecável. A partir de hoje, vou acompanhar a redação final dos seus textos antes de mostrarmos aos clientes, e depois participaremos juntas do feedback deles, ok?

— Combinado!

Silmara está determinada a montar uma equipe de alta performance e a dar feedbacks diários, não só para criticar os erros como fazia anteriormente, mas também para elogiar os acertos.

Continuação do caso 3 – Feedback para a equipe de Martins

Vitor, vendedor – Resultados medianos e atitudes medianas

É funcionário antigo e, apesar de honesto, está muito acomodado.

Martins o chamou para uma conversa.

— Vitor, você está há mais de vinte anos na empresa e parece desinteressado, pois assume uma postura passiva: é o cliente que compra, não você que vende.

— É que eu sempre agi assim e o senhor nunca reclamou...

— Realmente, mas esse meu comportamento omisso está custando muito caro. Já mudei algumas atitudes e preciso que você mude também.

— Admito que estava um pouco acomodado e não sabia das dificuldades financeiras da empresa, nem que o senhor estava tão estressado a ponto de ficar doente. Tenho minha parte de culpa e lhe dou minha palavra de que mudarei a postura daqui em diante.

— Fico satisfeito em ouvir isso de você. A partir do início do próximo mês, terminarei uma boa reforma na loja onde você trabalha, teremos o lançamento de novos produtos e um curso de atendimento. Você, assim como os demais vendedores, terá uma meta de vendas, que em seu caso será o dobro de sua média dos últimos dois anos. Acha que dará conta?

— Tenho certeza de que darei.

Ernesto, vendedor – Resultados medianos e atitudes ruins

Funcionário antigo. Chega atrasado, bate boca com os colegas, é ríspido com os clientes e vive reclamando da empresa.

— Ernesto, você parece irritado e agressivo com todos. O que está acontecendo?

— Para ser sincero, estou insatisfeito há meses e ultimamente o clima está ainda pior.

— Qual o principal motivo da sua insatisfação?

— Acho que não sou devidamente reconhecido e penso que deveria ser o gerente-geral por ser o mais experiente.

— Você sabe que não tem o respaldo da equipe. Prefere sair da empresa?

— Não quero pressionar, mas ou sou promovido ou prefiro sair.

— Então a situação é irreversível. Vou preparar seu desligamento...

Luciana, vendedora – Resultados bons e atitudes boas

É a melhor e mais motivada vendedora do grupo.

— Luciana, gosto de seu trabalho, de sua boa vontade e de suas atitudes positivas.

— Obrigada, seu Martins!

— Apesar de seu esforço, nossas vendas ainda estão baixas e preciso aumentar a meta de cada vendedor, que em seu caso será 50% a mais. Acha que consegue?

— Será difícil, mas conseguirei!

Martins a elogiou publicamente como exemplo a ser seguido na empresa.

Vera, departamento financeiro – Resultados bons e atitudes medianas

É a funcionária mais antiga, cumpre suas atribuições, mas é mal-humorada e geniosa. Está começando a ficar tecnicamente ultrapassada, no entanto, continua com a postura de sabe-tudo.

Martins teve uma conversa séria com ela:

— Vera, você é minha funcionária mais antiga, e praticamente meu braço direito, mas não aceita críticas e se ofende até com sugestões banais, como mudar o dia do pagamento. Não quero mais ter de "pisar em ovos" toda vez que conversar com você, por não saber como está seu humor.

— Poxa, seu Martins, é que fico irritada com a falta de comprometimento das pessoas e acho que acabo passando um pouco da conta.

— Na verdade, mesmo sem perceber, você está contribuindo para piorar ainda mais o ambiente de trabalho com tanto mau humor. Você sabe que a empresa está em sérias dificuldades e preciso que volte a ter as atitudes de anos atrás: boa vontade e jogo de cintura para resolver problemas e desafios. Posso contar com você?

— Farei o possível...

Felipe, gerente-geral, e Magda, compradora – Resultados ruins e atitudes medianas

Ambos são filhos de Martins. Além do fraco desempenho, não cumprem horários e agem como se tivessem o melhor negócio do mundo. Martins sabe que foi demasiadamente tolerante, mas, depois da doença e dos péssimos resultados, resolveu abrir o jogo com os filhos.

— Tentei ser um pai carinhoso, mas misturei os papéis e acabei sendo um chefe incompetente ao poupar vocês de qualquer preocupação e nunca cobrar desempenho. Se eu não tomar as rédeas da situação, o negócio vai falir, gastarei o que resta das reservas financeiras para pagar dívidas e, principalmente, terei filhos despreparados para gerir qualquer negócio. A partir de hoje, ofereço duas opções: saem da empresa e vão concluir os estudos ou terão de atingir metas e cumprir rigorosamente os mesmos horários da equipe. O que preferem?

(Felipe) — O senhor tem razão. Estou agindo como filhinho do dono e não como gerente-geral. Vou me dedicar de verdade e, se não conseguir atingir os objetivos, será melhor dar o lugar para alguém que consiga.

(Magda) — Vou mudar o curso para o período noturno e também me dedicarei com afinco. O senhor carregava tudo nas costas e agora chegou nossa vez de dividir a carga.

Martins está realmente determinado em fechar a creche e permitir que os anões cresçam. Para isso, dará feedbacks semanais a todos para acompanhar a evolução. Reforçará o bom desempenho e não tolerará mais maus resultados.

Continuação do caso 4 – Feedback de Mônica para cada sócio das empresas nas quais tem participação societária

Júlia, sócia e irmã – Comanda uma loja de roupas femininas em um shopping – Resultados ruins e atitudes boas

Ela é afável e dedicada, mas a loja, que foi inaugurada há um ano, continua dando prejuízo.

— Júlia, percebo sua enorme boa vontade, mas a loja é deficitária. Você acha possível mudar a situação?

— Mônica, sei que não deveria justificar, mas o aluguel é muito caro e a crise econômica está prejudicando as vendas, inclusive da concorrência. Nos últimos seis meses, quase 20% das lojas do shopping fecharam ou trocaram de dono.

— Você já pensou em fechar a loja e entregar o ponto?

— Já pensei, mas como a situação está difícil, o shopping está aceitando uma renegociação no aluguel e a franqueadora de nossa marca está propondo um treinamento intensivo. Eles acham que falta pouco para que passemos a obter lucro.

— O que você acha?

— Penso que valerá a pena este último esforço. Usarei as melhores práticas que encontrar e acho que temos chance.

— Quanto tempo você propõe para tomarmos a decisão?

— Se em três meses eu não der a virada, vamos fechar.

— Tenho certeza de que você vai conseguir!

Joaquim, sócio e irmão – Marcenaria especializada em "rejuvenescer" móveis residenciais – Resultados ruins e atitudes ótimas

É o irmão mais velho e sempre foi o mais trabalhador da família. Os clientes estão satisfeitos, mas o negócio dá prejuízo e só está de pé porque Mônica continua injetando dinheiro.

— Joaquim, como você interpreta o resultado do balanço financeiro anual que acabamos de receber?

— Infelizmente os resultados são ruins.

— Você acha que o negócio é viável?

— Tem de ser viável, pois os clientes adoram a ideia de reformar os móveis planejados que instalaram há mais de dez anos, com gasto bem menor do que o de trocar tudo. A procura é tanta que não estamos dando conta.

— Qual, então, é o motivo de tantos prejuízos?

— Amadorismo de minha parte. Esqueço de fazer contratos, dou descontos exagerados e não controlo despesas. Quando tocava o negócio com apenas dois ajudantes, a coisa andava bem. Agora, com uma equipe de dez pessoas, perdi o controle.

— Ainda é possível arrumar?

— Acho que sim, mas preciso de sua ajuda. Aceito o que você determinar.

— Contratarei um gestor administrativo-financeiro para formalizar a empresa e um bom vendedor para deixá-lo livre para a execução, que é seu ponto forte. Se conseguirmos organizar o negócio, poderemos fazer uma franquia, pois a ideia é ótima.

— Aceito.

Natan, sócio – Comanda a agência que intermedeia o contato entre jovens com ideias promissoras e investidores para startups – Resultados ótimos e atitudes ótimas

Ele é inteligente, bem relacionado e íntegro. Tem discernimento para identificar ideias que podem gerar ótimas empresas e é respeitado por todos que negociaram com ele, desde o início do negócio há oito anos. Mônica acha que está na hora de darem um passo à frente.

— Natan, como você interpreta o resultado do balanço financeiro anual que acabamos de receber?

— Está muito bom, mas poderia ser melhor.

— Por quê?

— Acho que poderíamos crescer mais rapidamente, porém falta equipe e espaço. Estamos em um local pequeno e com uma equipe muito reduzida.

— Concordo, mas você sempre me diz que menos é mais e que prefere trabalhar com uma equipe enxuta e de alta performance.

— É verdade, mas precisamos crescer por dois motivos: a demanda é muito grande e, principalmente, temos profissionais tão bons que, se não tiverem espaço para evoluir, sairão da agência ou serão nossos concorrentes.

— O que você propõe?

— Proponho mudarmos para um local maior e dividirmos a agência em três unidades de negócio, com nossos três melhores colaboradores comandando cada uma delas e ganhando participação nos resultados. Uma unidade ficaria com a triagem das oportunidades, a segunda com atendimento aos jovens com projetos promissores e a terceira unidade com o relacionamento com investidores. Eu e você fazemos a amarração final e o fechamento dos negócios. O que lhe parece?

— Ótima ideia, mas você sabe que tenho pouco tempo disponível.

— Sei, mas você tem consciência de que perde muito tempo em negócios difíceis e pouco lucrativos?

— Você tem razão! Já tive uma conversa séria com meus outros sócios e a partir do próximo mês serei apenas sócia-investidora. Ou a empresa se torna autossustentável ou fecha.

— Fico feliz em saber. Nosso negócio é muito promissor e preciso de você ao meu lado.

Mônica está determinada a colocar foco no que realmente vale a pena e dedicar seu tempo e sua energia em busca da alta performance.

Continuação do caso 5 – Feedback de Jaime para a equipe da revenda de produtos agrícolas

Osmar, vendedor – Resultados medianos e atitudes boas

— Osmar, o que está achando do trabalho?

— Parece fácil na teoria, mas difícil na prática, pois a região é nova e a empresa é pouco conhecida. Também sinto falta de mais acompanhamento, pois às vezes não sei como agir, principalmente quando o agricultor fala bem dos produtos da concorrência.

— Entendo que você tem pouca experiência, mas todos precisamos começar em algum lugar. Eu mesmo estou tendo a primeira oportunidade como gestor, e isso muito mais me motiva do que amedronta. A colheita está acabando e teremos cerca de trinta dias para investir em treinamentos intensivos. Minha principal recomendação é que aproveite para tirar todas as dúvidas e, principalmente, estude dobrado para compensar a pouca experiência. Continuarei apoiando você, mas preciso que diminua, aos poucos, a dependência da minha presença. O que acha?

— O treinamento intensivo virá na hora certa, pois, agora que já tenho alguma experiência, será mais fácil interagir com os instrutores do que no começo. Seu investimento de tempo e dinheiro será recompensado e me tornarei mais independente.

Michel, vendedor – Resultados bons e atitudes medianas

— Michel, como você analisa seu desempenho até agora?

— Acho que ótimo, pois bati as metas. Imagino que esteja satisfeito com meu trabalho.

— Os números são muito bons, mas as atitudes nem tanto. Percebo que você não gosta de prestar contas, questiona muitas das minhas decisões em público e isso tem gerado um ambiente ruim. Somos amigos e você tem liberdade para discordar de minhas opiniões, mas quero que o faça reservadamente.

— Poxa, não sabia que você estava chateado comigo.

— É uma questão de respeito com a hierarquia, não de melindre. Esse excesso de intimidade pode ser ruim para ambos.

— Vou tentar me policiar.

— Faça isso, pois não gostaria de perder um profissional como você.

Silas, vendedor – Resultados bons e atitudes boas
— Silas, como você analisa seu desempenho até agora?
— Acho que tem sido bom, mas posso melhorar.
— Vejo que você é nosso melhor vendedor. Além de cumprir a meta de vendas, fez todos os campos demonstrativos, abriu o maior número de novos clientes e ainda arrumou tempo para orientar os ex-*trainees*.
— Fico feliz com seu feedback, Jaime! Também estou muito satisfeito com a empresa, pois, além do bom salário, tenho condições de trabalho melhores do que imaginava.
— Você sabe que temos oportunidades de expansão, mas não farei nada enquanto todos os funcionários da equipe comercial não estiverem muito bem treinados.
— Você me ajuda?
— Ajudo, pois, além de gostar de trabalhar com você, tenho todo o interesse de crescer junto com a empresa.

No próximo capítulo, veremos como analisar o estágio de performance de sua equipe/empresa, bem como dos negócios que analisamos desde o início do livro.

8
Estágios de performance

Todo mundo começa forte. O sucesso vem para aqueles que têm um compromisso inabalável de continuar assim até o fim.
Howard Schultz

No início, quase todo empreendedor de um novo negócio, ou quem assume um novo cargo de chefia, começa com toda a energia: pensa no trabalho dezesseis horas por dia (às vezes mais, pois sonha ou tem pesadelos com os desafios); trabalha com energia redobrada; tolera contratempos com boa vontade; prospecta incansavelmente potenciais clientes; comenta os acontecimentos em mídias sociais; deixa em segundo plano os amigos, os hobbies e até a família. Enfim, dedica toda a energia física e mental à oportunidade de ser bem-sucedido.

Em empresas já estabelecidas, toda essa motivação também costuma acontecer logo após um treinamento impactante, nos primeiros dias de consultoria ou com a leitura de um excelente livro. Entretanto, o sucesso só virá se a pessoa mantiver toda essa garra e motivação no decorrer das semanas, dos meses e dos anos seguintes, mesmo com todas as dificuldades e todos os desafios que certamente ocorrerão. Começar um negócio do zero ou ajustar um negócio antigo é um processo difícil, mas que se bem executado gera excelentes resultados.

Entretanto, você pode estar se perguntando: "O que são excelentes resultados? Quais são os parâmetros? Como saber em qual estágio está minha empresa?".

Eu tinha alguns critérios de como mensurar esses dados para meus clientes e para mim, mas havia algumas divergências; afinal, o que é excelente para alguns pode ser no máximo bom para outros. Em 2008, eu já atuava como consultor havia quase vinte anos, e tinha um grupo de dez clientes antigos (em áreas que não competiam entre si) que se reunia uma vez por ano para trocar experiências e informações. Como os critérios para definir alta performance ainda causavam polêmica, propus a eles que contratássemos um *expert* de fora que não conhecesse ninguém do grupo. Depois de muito analisar, optamos por convidar o consultor Pedro Mandelli. Em nosso primeiro encontro, ele mostrou um quadro com números de 1 a 10 – 1 para performance péssima e 10 para performance excepcional.

Os números deveriam ter relação comparativa com o mercado de atuação. Em outras palavras, se estivessem abaixo de 5, significaria performance inferior à média do segmento, e, acima de 5, superior a ela. O desafio foi definir os critérios para o significado dos números de 1 a 10 que servissem a todos os membros do grupo e quaisquer outros que dele viessem a participar. Nos reunimos entre 2008 e 2010 e conseguimos chegar a um consenso do que levaríamos em conta para definir o que significava, na prática, cada estágio de performance.

Desde então, procurei consolidar os "sintomas" não só financeiros, mas também comportamentais, dos estágios de performance nas empresas em que presto ou prestei consultoria, e que pudessem ser válidos em quaisquer companhias ou negócios.

Concluí que há pelo menos sete critérios importantes:
- Comparação com os concorrentes;
- Resultados;
- Reação externa;
- Perspectiva em curto e médio prazos;
- Pensamentos/comportamentos do gestor;
- Pensamentos/comportamentos dos funcionários;
- Grau de maturidade da equipe em relação às principais tarefas.

Para saber em qual estágio está sua empresa, você precisará identificar pelo menos cinco dos sete fatores.

Estágios 1 a 3 – Baixa performance

Quanto mais próximo de 1, mais claros os sintomas a seguir:

Comparação com os concorrentes: O produto ou serviço está abaixo da média, tanto em participação de mercado quanto em qualidade, demanda e lucratividade. Isso é relativamente comum no início da empresa e tende a melhorar com o tempo. O problema começa a ficar sério quando os sintomas continuam a piorar, como você verá na sequência.

Resultados: Prejuízos constantes. A empresa não consegue gerar caixa para sustentar a operação e necessita de aporte financeiro de fora (empréstimos bancários, investidores ou capital dos sócios). Fica cada dia mais difícil justificar os maus resultados.

Reação externa (clientes, fornecedores, parceiros comerciais): Pouca procura do produto ou serviço oferecido; fornecedores ameaçam cortar crédito ou exigem pagamentos à vista; investidores ou instituições financeiras negam aportes financeiros.

Perspectiva em curto e médio prazos: Não se observa perspectiva de melhoria nos próximos meses. Os problemas e frustrações, aos poucos, começam a afetar toda a empolgação inicial, e a mesma pessoa que começou com todo o gás para encher seu balão e subir muito alto agora parece uma bexiga murcha, reclamando da vida, das circunstâncias e das pessoas.

Pensamentos/comportamentos do gestor: O líder começa a ter pensamentos negativos recorrentes: "Era feliz e não sabia"; "Nunca imaginei passar por tanta burocracia"; "É impossível sobreviver com tantos impostos"; "Não adianta ter um serviço ou produto superior, pois o consumidor só quer saber de preço"; "Meus funcionários são todos mercenários"; "É melhor fazer o mínimo para não quebrar"; "Investir neste país é coisa de maluco"; "Está ruim para todos, é melhor me conformar"; "Preciso dar um jeito de passar essa bomba para alguém" e assim por diante.

O gestor passa a maior parte do tempo apagando incêndios. As contratações são aleatórias, não há padrão na seleção e muito menos treinamentos para os recém-contratados. Seu nível de estresse aumenta; trata mal os funcionários; reclama o tempo todo; demonstra irritação por motivos banais.

Começa a ter mania de perseguição, baixa autoestima, frustração e, por fim, apatia.

Pensamentos/comportamentos dos funcionários: Colaboradores que convivem diariamente com o chefe logo percebem quando as coisas estão indo mal: "Coitado do seu Fulano, colocou todas as economias no negócio e pelo jeito vai perder tudo"; "Não aguento mais trabalhar em um clima tão ruim"; "Não adianta remar, pois o barco não sai do lugar"; "Não sou pago para ser humilhado"; "A culpa dos maus resultados não é minha"; "É melhor começar a procurar outro emprego" e assim por diante.

Os funcionários também ficam estressados, inseguros, irritados e mais preocupados em arrumar desculpas do que em resolver problemas, pois passam a duvidar da viabilidade do negócio e do próprio emprego. Os mais qualificados pedem demissão, os limitados ficam à espera do pior.

Nesse cenário, prevalece a cultura do medo, as ameaças verbais são constantes, não há nenhuma forma de delegação e não há feedbacks positivos. A única motivação das pessoas é retardar a demissão até conseguir outro emprego. Inexiste o conceito de meritocracia.

Grau de maturidade em relação às principais tarefas: A maturidade média dos subordinados para realizar as principais tarefas é M1 (baixa), e a maioria tem dificuldade de evoluir.

Estágios 4 a 5 – Média performance

Comparação com os concorrentes: O produto ou serviço está próximo da média, tanto em participação de mercado quanto em qualidade, demanda e lucratividade. A empresa já saiu do estágio inicial e começa a ser reconhecida como promessa.

Resultados: Começa a haver um ponto de equilíbrio. A empresa ainda não tem sobra de caixa para novos investimentos, mas já consegue sustentar a operação e não necessita de aporte financeiro externo. As pessoas começam a acreditar na viabilidade do negócio.

Reação externa (clientes, fornecedores, parceiros comerciais): Começa a aumentar a procura pelo produto ou serviço; fornecedores oferecem pequenos aumentos de crédito ou estendem o prazo de pagamentos; investidores ou instituições financeiras começam a demonstrar curiosidade sobre o negócio.

Perspectiva em curto e médio prazos: Há chance de que o negócio comece a decolar. Há altos e baixos com alternância de boas e más notícias. Começam a aparecer algumas oportunidades, mas ainda nada consistente ou duradouro.

Pensamentos/comportamentos do gestor: O líder começa a ter sentimentos positivos, mas ainda tem dúvidas: "Acho que acertei a mão"; "Quase conseguimos fechar um grande pedido"; "Estou conseguindo sobreviver com os resultados da empresa, mas ainda está apertado"; "Estou pensando em contratar mais pessoas para compor o time, mas tenho medo de exagerar"; "O resultado do mês foi bom, mas concentrado em poucos clientes"; "Preciso qualificar melhor minha equipe para dar um salto nos resultados".

O nível de confiança aumenta; ele começa a ver os funcionários como fator de crescimento; as contratações seguem algum padrão (procura-se adequar o perfil ao cargo); há treinamentos informais para recém-contratados e alguns treinamentos formais para pessoas com mais tempo de empresa. Ele ainda precisa apagar incêndios.

Pensamentos/comportamentos dos funcionários: Os colaboradores percebem que vale a pena algum esforço extra:

"O seu Fulano parece estar mais confiante"; "O clima está melhor"; "Se todos remarem bastante, podemos ir longe"; "Estou sobrecarregado, mas não é hora de reclamar"; "Acho que posso contribuir um pouco mais"; "Não é um mau emprego"; "Se trabalhar direitinho, não serei demitido".

Os funcionários começam a acreditar na viabilidade do negócio e do próprio emprego, pelo menos em médio prazo. Os melhores começam a pedir mais dedicação dos colegas medianos.

A cultura da empresa ainda não está clara; não há muita transparência; o chefe ainda delega pouco; as ameaças são veladas; há feedbacks positivos, mas prevalecem os feedbacks corretivos; a motivação das pessoas é manter o emprego. Há boa vontade em aplicar a cultura do mérito.

Grau de maturidade em relação às principais tarefas: A maturidade dos subordinados para realizar as principais tarefas é M2 (média) e quase todos se dedicam para que ela aumente.

Estágios 6 a 7 – Boa performance

Comparação com os concorrentes: O produto ou serviço já está um pouco acima da média, tanto em participação de mercado quanto em qualidade, demanda e lucratividade. A empresa já saiu do estágio de promessa e começa a ser reconhecida como *player* importante.

Resultados: Já ultrapassou o ponto de equilíbrio. Começa a haver sobra de caixa para novos investimentos, sem necessidade de aporte financeiro externo. As pessoas acreditam que o negócio deu certo.

Reação externa (clientes, fornecedores, parceiros comerciais): O produto ou serviço começa a ser percebido como referência; fornecedores oferecem aumento de crédito e alongam o prazo de pagamentos; investidores ou instituições financeiras começam a demonstrar interesse pela empresa.

Perspectiva em curto e médio prazos: O negócio já é uma realidade. Há mais altos do que baixos, e as boas notícias superam as más. Aparecem oportunidades de crescimento em curto prazo.

Pensamentos/comportamentos do gestor: O líder começa a acreditar que tem um negócio promissor: "Estamos fechando pedidos cada vez maiores"; "Finalmente estou conseguindo uma folga financeira de alguns meses, mas ainda não posso relaxar"; "Contratarei mais pessoas para complementar o time"; "O resultado do semestre foi bom e distribuído entre vários clientes"; "Preciso delegar mais tarefas e pensar estrategicamente"; "Preciso investir uma parte do lucro para motivar e reter minha equipe".

Ele tem convicção de que o negócio pode crescer; as contratações seguem um padrão claro (é fundamental adequar o perfil ao cargo e todo histórico pessoal e profissional é analisado com cuidado) e há treinamentos formais para os recém-contratados, ministrados por funcionários mais antigos. Além disso, começam a ocorrer treinamentos formais direcionados às diferentes áreas da empresa. Ele percebe os funcionários como principal fator de crescimento. Nesse cenário, a empresa já mudou de patamar, começa a atrair talentos de fora e há prioridade na contratação de PHDs.

Pensamentos/comportamentos dos funcionários: Os colaboradores sentem que o esforço extra começa a dar resultados: "O seu Fulano se preocupa em nos dar boas condições de trabalho"; "O ambiente é estimulante"; "Estou sobrecarregado, mas motivado"; "Aumentarei um pouco mais meu esforço"; "É um bom emprego"; "Se trabalhar com afinco, poderei ser promovido ou ganhar mais".

Os funcionários acreditam na viabilidade do negócio e do próprio emprego, inclusive em médio e longo prazos.

A cultura da empresa começa a tomar forma; há alguma transparência; o chefe delega algumas tarefas importantes para os funcionários mais maduros; não há necessidade de ameaças, pois as regras começam a ficar mais claras; há equilíbrio entre feedbacks positivos e feedbacks corretivos; a motivação das pessoas é obter mais oportunidades. A meritocracia começa a ser aplicada e compreendida.

Grau de maturidade em relação às principais tarefas: A maturidade dos subordinados para realizar as principais tarefas é M3 (alta), mas ainda há necessidade de contratar cursos externos para treinar os mais inexperientes. Há muita dedicação e empenho para que a maturidade aumente.

Estágios 8 a 10 – Alta performance

Comparação com os concorrentes: O produto ou serviço já é reconhecido como muito superior à média, tanto em participação de mercado quanto em qualidade, demanda e lucratividade. A empresa começa a ter algumas práticas copiadas. É invejada pela concorrência e começa a ser admirada pelo mercado.

Resultados: Os lucros já seriam suficientes para distribuir bons dividendos aos sócios. A empresa tem caixa para novos investimentos, sem nenhum aporte financeiro externo. Os sócios começam a fazer planos de expansão.

Reação externa (clientes, fornecedores, parceiros comerciais): O produto ou serviço virou referência; há disputa entre fornecedores, inclusive com propostas de descontos agressivos; investidores fazem as primeiras propostas para comprar o negócio ou entrar na sociedade.

Perspectiva em curto e médio prazos: O negócio não para de crescer e ainda tem fôlego para muito mais em médio/longo prazos. As oportunidades suplantam as ameaças.

Pensamentos/comportamentos do gestor: O líder começa a sentir os sintomas do sucesso: "Estamos fechando negócios cada vez maiores"; "Já há dinheiro suficiente para bancar uma expansão"; "Preciso começar um programa de *trainees* visando ter gente qualificada em longo prazo"; "O resultado do ano foi excelente, e a demanda por nossos produtos e serviços continua aumentando"; "A delegação é ampla e a maioria dos colaboradores age como dono, e não como funcionário"; "Farei um plano de distribuição de lucros para cada cinco anos a fim de reter pessoas talentosas".

As contratações seguem um padrão claro (é obrigatório adequar o perfil ao cargo e todo histórico pessoal e profissional é analisado profundamente) e há treinamentos formais para recém-contratados, ministrados por funcionários mais antigos. Além disso, treinamentos externos fazem parte do dia a dia da empresa. Ele percebe os funcionários como principal fator de crescimento. Nesse cenário, a companhia já mudou de patamar; há muito interesse por talentos de fora, mas a prioridade está na contratação de PHDs.

O líder tem convicção de que o grande diferencial de seu negócio é contar com uma equipe impecável.

O principal requisito antes de qualquer expansão é contar com gente de alto nível formada na própria empresa. Assim, evita-se ao máximo contratar pessoas em cargos estratégicos de fora, pois a prioridade é promover gente da casa.

Pensamentos/comportamentos dos funcionários: Os colaboradores sentem que o esforço extra já produz resultados: "O seu Fulano prioriza premiar quem merece"; "Há competição, mas o clima interno é de respeito. Joga-se mais para o time do que para a torcida"; "Trabalho bastante, mas sou eu quem defino meus limites"; "Sinto e ajo como dono do negócio"; "Tenho autonomia para decidir e até para errar, sem medo de punição"; "A cobrança por resultados é grande, mas as regras do jogo são respeitadas e não existem malandragens"; "Se continuar assim, gostaria de me tornar sócio minoritário do negócio".

A maioria dos funcionários age como se fosse dona da empresa; aceita novos desafios; não tolera colegas acomodados ou medíocres; pensa em ficar na empresa por muitos anos se as regras e a cultura do mérito continuarem a prevalecer.

Há total transparência e o chefe delega tarefas com frequência. Os direitos e deveres estão entendidos e assimilados por toda a equipe. Acontecem dificuldades e contratempos todos os dias, mas há sincera boa vontade de resolvê-los. Há mais feedbacks positivos do que feedbacks corretivos, e a motivação das pessoas é usufruir o sucesso da empresa e receber conforme seu merecimento. A cultura do mérito predomina: quanto melhores os resultados/atitudes, maiores os benefícios.

Grau de maturidade em relação às principais tarefas: A maturidade média dos subordinados para realizar as principais tarefas é M4 (altíssima), as pessoas dominam os assuntos e conseguem ensinar os mais inexperientes, com pouca necessidade de treinamentos externos. Há enorme dedicação para manter esse nível de excelência.

Passados cerca de dois anos após os primeiros ajustes, vejamos em que estágio de performance está cada equipe.

Caso 1. Restaurante de Carlos – Estava no estágio 3, com muitos problemas de gestão e resultados financeiros ruins. A partir da entrada da nova sócia, Joana, algumas demissões, trocas de posições, feedbacks contínuos, muito treinamento e aumento gradativo da maturidade dos profissionais, alcançou o estágio 7. As pessoas trabalham motivadas, todos têm maturidade alta (no mínimo M3) para realizar as tarefas, as regras estão mais claras, o cardápio é enxuto, há necessidade de reserva antecipada nos fins de semana e, principalmente, o restaurante passou a dar lucro.

Carlos aprimorou seu estilo protetor e tem uma frase simples quando precisa trocar alguém: "Em uma equipe enxuta como a nossa, não posso me dar ao luxo de ter alguém com baixa disposição ou que entregue menos do que o combinado".

Ele está estudando abrir uma filial, mas não o fará enquanto o restaurante não alcançar um patamar próximo a 9, com recursos financeiros disponíveis e equipe suficientemente madura (pessoas com índice M4 nas tarefas que executam) para contratar e treinar pessoas tão boas quanto elas.

Caso 2. Empresa de consultoria de Silmara – Estava no estágio 5 e, apesar de resultados financeiros razoáveis, tinha alta rotatividade de funcionários, e a gestora estava sobrecarregada.

Silmara percebeu que seu estilo trator estava criando problemas, pois era muito agressiva e intolerante. Ela continua exigente, mas mudou a estratégia e está delegando muito mais aos colaboradores com índice de maturidade M4 nas tarefas. Propôs distribuir 30% do lucro anual aos funcionários com avaliação impecável. Com isso, está entregando um trabalho perfeito.

Os cinegrafistas atuam como diretores, editores e até coaches dos clientes, orientando-os com paciência e didática exemplar. Os equipamentos são de última geração. Os redatores fazem uma imersão prévia na empresa dos clientes antes de escrever o roteiro e acompanham os resultados de cada campanha. Silmara faz o pós-vendas e cuida do ajuste fino de cada novo projeto.

A agência atingiu o nível 8 e está a caminho do 9. Silmara e os novos gestores decidiram manter as equipes enxutas, mas cada vez melhores.

Caso 3. Rede de lojas de Martins – Estava no estágio 2, com resultados financeiros ruins e funcionários acomodados, em função do estilo centralizador do líder.

Martins deu um choque de gestão ao demitir os mais acomodados, definir metas individuais, delegar tarefas (para as pessoas com nível de maturidade M3 ou M4), treinar os mais dispostos e, principalmente, sair do comando dando total autonomia a seu filho Felipe, que fez uma verdadeira revolução no negócio. Ele mudou o layout, fez parcerias com vários arquitetos, implementou um programa de fidelidade para os clientes, criou um sistema de treinamentos contínuos, melhorou a gestão financeira e conquistou a confiança dos funcionários.

Praticamente todos estão se esforçando ao máximo e se ajudando mutuamente. O trabalho em equipe funciona de fato, as pessoas se sentem prestigiadas e valorizadas com reconhecimento à altura de seus resultados. Todos se deram conta da importância de caprichar até nos pequenos detalhes para atingir a excelência no atendimento.

Com todo esse esforço, a empresa voltou a dar lucro e está no estágio 7, mas muito próxima de alcançar o 8.

Caso 4. Empresas das quais Mônica é sócia

Loja de roupas em sociedade com Júlia – Estava no estágio 3, dando prejuízo e com gestão medíocre em decorrência da falta de maturidade da sócia (era M2 nas principais tarefas).

Júlia fez todos os treinamentos disponíveis, visitou outras lojas bem-sucedidas da marca e procurou implantar as melhores práticas para seu nicho de mercado, está com um grau de maturidade M3 na maioria das tarefas e a caminho de se tornar M4 em algumas. Contratou e treinou novas vendedoras, organizou desfiles com clientes, melhorou o mix de produtos, conseguiu desconto no aluguel e organizou campanhas em conjunto com outras lojas, como de sapatos, bolsas e acessórios, que não competiam com seu produto.

O estágio de performance passou de 3 para 7, mas elas ainda não estão satisfeitas, pois o investimento de tempo e energia é muito grande. A loja começou a dar lucro, os funcionários estão motivados, com a maturidade aumentando, e Júlia ganhou uma experiência valiosa, inclusive para aplicar em outros negócios.

A gerente atual tem maturidade M4 em gestão, e quando o negócio atingir o nível 9, abrirão mais uma loja da mesma marca em outro shopping, aplicando o mesmo modelo de trabalho.

Marcenaria em sociedade com Joaquim – Estava no estágio 4, dando prejuízo, mas com bom nível de satisfação dos clientes.

O negócio era tão promissor que foi fácil encontrar um sócio que investisse recursos e tempo para ajustes na gestão. Eles queriam alguém que colocasse dinheiro, mas que se dedicasse integralmente a gerir o negócio.

O novo sócio, que era muito preparado (M4 em gestão de pessoas), revolucionou quase tudo: dobrou o espaço, contratou quinze jovens aprendizes (PDHs de primeira linha) e aproveitou o talento de Joaquim para ser o instrutor de uma escola interna para formação de profissionais de alto potencial.

Passou a fazer toda a gestão financeira e de compras, além de contratar e treinar pessoalmente os vendedores.

A empresa ainda está no estágio 6 (começou a ter um pequeno lucro), mas eles sabem que não podem ter pressa, pois demora pelo menos dois anos para formar um profissional (é o tempo que costuma demorar para os aprendizes passarem de M1 para M4) como eles gostariam, e esse é o grande segredo. Eles calculam que no máximo em um ano a empresa estará no estágio 8 e com estrutura preparada para continuar formando pessoas dispostas e talentosas, que garantirão a expansão gradual do negócio.

Agência em sociedade com Natan – Estava no estágio 9, dando lucros e com ótimo nível de satisfação dos clientes.

Natan, que sempre foi partidário do menos é mais (sempre preferiu trabalhar com poucas pessoas, mas de altíssimo gabarito para qualificar o negócio), propôs dividir as áreas de atuação da agência, dando o comando de cada uma delas a seus colaboradores com grau de maturidade M4 nas tarefas que executavam. O negócio ainda vai muito bem, mas baixou do estágio 9 para o 8, pois aumentou a quantidade de clientes e precisou contratar pessoas com ótimo potencial (perfil ótimo e rastro impecável), mas ainda com baixa maturidade (M1) nas tarefas, pois Natan prefere formar pessoas com pouca experiência, o que demanda seu precioso tempo.

Natan e Mônica não se arrependem da expansão, pois têm convicção de que os três gestores possuem altíssimo grau de maturidade e estão preparando gente tão boa ou melhor do que eles. A perspectiva é de que alcancem novamente o estágio 9 em pouco tempo, mantendo a excelência anterior, mas contando, ao mesmo tempo, com outras pessoas que conseguem replicar seu modelo de sucesso.

Caso 5. Revenda de produtos agrícolas de Jaime – Estava no estágio 5, dando lucro, mas com equipe heterogênea.

Jaime demitiu o vendedor mais problemático, os ex-*trainees* estão mais maduros, confiantes e motivados. Além disso, o clima ajudou e as três últimas safras na região foram excelentes, o que puxou para cima os resultados de toda a cadeia do agronegócio, inclusive a revenda, que obteve resultado excepcional.

A próxima safra terá uma quebra estimada em 20% na produção em função da seca, mas a empresa está se preparando para lidar com esse desafio, antecipando cobranças, priorizando a assistência técnica e monitorando de perto os casos mais preocupantes.

O estágio de performance passou para 7, mas Jaime sabe que tem de melhorar ainda mais os processos, e a equipe precisa de mais tempo para amadurecer (a maioria está no nível M3 de maturidade) antes de alcançar a alta performance. Ele já conta com cinco novos *trainees* de alto potencial que estão sendo treinados para expandir a área de atuação.

Para concluir: os quatro grandes desafios para a alta performance

Propus, na introdução do livro, que o principal objetivo deste material seria **ajudá-lo a realizar quatro grandes** desafios:

1. **Embarcar as pessoas certas e desembarcar as erradas.**
2. **Colocar as pessoas certas nas funções certas.**
3. **Decidir a rota com as pessoas certas.**
4. **Ter como principal prioridade manter ao menos 90% das pessoas certas nos lugares certos.**

Espero tê-lo convencido de que quando você tem as pessoas certas, nos lugares certos, decidindo juntos a rota a ser seguida, fica muito mais fácil obter grandes resultados, pois um time excelente é composto por profissionais competentes, que dividem responsabilidades e enfrentam desafios como se fossem donos do negócio.

Portanto, para consolidar sua empresa em um patamar elevado, você precisará continuar a atrair mais gente de alto potencial. É o círculo virtuoso: boas perspectivas atraem boas pessoas, que melhoram o resultado e atraem outros profissionais competentes, que também querem fazer parte dessa história de sucesso.

Atingida a alta performance, o crescimento da empresa deverá ser proporcional a sua capacidade de continuar encontrando e formando novos talentos no mesmo padrão que os atuais.

Só é possível continuar obtendo grandes resultados com as pessoas certas nos lugares certos, enfrentando desafios e usufruindo as vantagens de trabalhar para um líder que compartilhe seu sucesso com quem merece.

Isso feito, obter alta performance começa a ser regra, não exceção, e o caminho passa a ser tão estimulante quanto o destino...

Boa jornada!

*Escolher gente melhor do que você mesmo, treiná-las,
desafiá-las e mantê-las é a principal tarefa dos líderes.*
JORGE PAULO LEMANN

Agradecimentos

Agradeço especialmente à minha esposa, Márcia Elisa Marques Ferraz, que consegue se colocar no lugar do leitor e faz sugestões com uma empatia que algumas vezes me falta.

À equipe da Editora Planeta, entusiasta deste novo projeto. Aos amigos, clientes e parceiros que, com suas sugestões, trouxeram o livro mais próximo da realidade e evitaram que eu cometesse alguns equívocos: Adriana Pereira, Allan Costa, Ana Paula Maito de Carvalho, Andrea Marcos Ferreira, Antônio Sérgio de Souza Getter, Arthur Igreja, Dálcio Roberto dos Reis Júnior, Fábio Bedin, Fábio Vizeu Ferreira, Fabrício Campos, Gerônimo Machado, Hilgo Gonçalves, Janete Vaz, João Alécio Mem, Jonathan Moraes, Jorge Biff Netto, José Mário Viegas, Leoni Cristina Pedri, Marcos Pedri, Mário Sérgio Pinto de Souza, Pedro José Steiner Neto, Rainer Junges, Ricardo Amorim e Wilson Soler.

A todos, meu muito obrigado.

O autor

Eduardo Ferraz é engenheiro-agrônomo, formado pela Universidade Federal do Paraná (UFPR), pós-graduado em direção de empresas, pelo Instituto Superior de Administração da PUC do Paraná (ISAD PUC-PR), e especializado em coordenação e dinâmica de grupos, pela Sociedade Brasileira de Dinâmica dos Grupos (SBDG). Trabalhou na multinacional Ciba-Geigy, de 1986 a 1991 e, a partir de então, começou a prestar consultorias e treinamentos, tendo como base teórica a neurociência comportamental.

Tem mais de 25 anos de experiência e cerca de 30 mil horas de prática com consultoria em empresas e em treinamentos na área de gestão de pessoas. É reconhecido tanto por seu consistente embasamento teórico como por seu estilo direto e assertivo. Toda essa bagagem o torna um dos mais capacitados profissionais em desenvolvimento humano no país.

O AUTOR

Possui grandes *cases* de sucesso e atende clientes como Banco do Brasil, Bayer, Basf, Bourbon Hotéis, Correios, C. Vale, Dell Anno, Fiat, Livrarias Curitiba, N Produções, Petrobras, Sadia, entre muitos outros.

Entre 2010 e 2018 teve mais de 500 participações na mídia – entre artigos e entrevistas em vários veículos de comunicação, dentre eles, canais de televisão aberta e a cabo, como Globo, Bandeirantes, SBT, Record, GloboNews e GNT, e emissoras de rádio, como CBN, BandNews, Bandeirantes, Globo, Jovem Pan e Transamérica.

Concedeu entrevistas para diversos periódicos, como as revistas *Exame*, *Época*, *Época Negócios*, *Nova*, *Veja*, *Você S/A*, *Você RH*, entre outras, e os jornais *Folha de S.Paulo*, *O Estado de S. Paulo*, *O Globo*, *Jornal da Tarde*, *Estado de Minas*, *Diário de Pernambuco*, *Correio do Povo*, *Zero Hora*, *Gazeta do Povo*, *Correio Braziliense*, *O Povo*, entre outros. É comentarista em vídeos da revista *Exame*, colunista na rádio BandNews, de Curitiba, e da rádio Bandeirantes FM.

Em 2010, publicou o livro *Por que a gente é do jeito que a gente é?*, em que trata da aplicação da neurociência e da psicologia no dia a dia das pessoas. Em 2013, publicou *Seja a pessoa certa no lugar certo*, sobre como encontrar o posicionamento profissional ideal, livro que esteve por seis semanas na lista dos 10 livros mais vendidos da revista *Veja*. Em 2015, publicou *Negocie qualquer coisa com qualquer pessoa*, que esteve por catorze semanas na mesma lista. Em 2017, publicou *Gente que convence*, que esteve por mais de trinta semanas na lista dos livros de negócios mais vendidos na PublishNews.

Para mais informações: www.eduardoferraz.com.br

Referências bibliográficas

Livros

ARIELY, Dan. *Previsivelmente irracional:* como as situações do dia a dia influenciam as nossas decisões. Rio de Janeiro: Campus, 2008.

BLANCHARD, Ken. *Liderança de alto nível:* como criar e liderar organizações de alto desempenho. Porto Alegre: Bookman, 2007.

BUCKINGHAM, Marcus; COFFMAN, Donald. *Quebre todas as regras:* os melhores gerentes não têm medo de subverter os lugares-comuns do mundo empresarial. Rio de Janeiro: Sextante, 2011.

COLVIN, Geoff. *Desafiando o talento:* mitos e verdades sobre o sucesso. São Paulo: Globo, 2009.

DRUCKER, Peter. *Desafios gerenciais para o século XXI*. São Paulo: Thomson, 1999.

DUALIBI, Roberto; PECHLIVANIS, Marina. *Dualibi essencial*. Rio de Janeiro: Campus, 2006.

DUHIGG, Charles. *O poder do hábito:* por que fazemos o que fazemos na vida e nos negócios. Rio de Janeiro: Objetiva, 2012.

_____. *Mais rápido e melhor:* os segredos da produtividade na vida e nos negócios. Rio de Janeiro: Objetiva, 2016.

FERNÁNDEZ-ARÁOZ, Claudio. *Grandes decisões sobre pessoas:* por que são tão importantes, por que são tão difíceis e como você pode dominá-las a fundo. São Paulo: DVS, 2009.

REFERÊNCIAS BIBLIOGRÁFICAS

FERRAZ, Eduardo. *Vencer é ser você:* entenda por que a gente é do jeito que a gente é para progredir na carreira e nos negócios. São Paulo: Gente, 2012.

_____. *Seja a pessoa certa no lugar certo:* saiba como escolher empregos, carreiras e profissões mais compatíveis com sua personalidade. São Paulo: Gente, 2013.

_____. *Negocie qualquer coisa com qualquer pessoa:* estratégias práticas para obter ótimos acordos em suas relações pessoais e profissionais. São Paulo: Gente, 2015.

_____. *Gente que convence:* como potencializar seus talentos, ideias, serviços e produtos. São Paulo: Planeta, 2017.

GARDNER, Howard. *Inteligências múltiplas:* a teoria na prática. Porto Alegre: Artmed, 1995.

GOLEMAN, Daniel. *Foco:* a atenção e seu papel fundamental para o sucesso. Rio de Janeiro: Objetiva, 2013.

HARARI, Yuval Noah. *Sapiens:* uma breve história da humanidade. Porto Alegre: L&PM, 2015.

HODGSON, Susan. *Respostas certas para entrevistas de emprego*. São Paulo: Fundamento, 2017.

KAHNEMANN, Daniel. *Rápido e devagar:* duas formas de pensar. Rio de Janeiro: Objetiva, 2012.

KOCH, Richard. *O princípio 80/20:* os segredos para conseguir mais com menos nos negócios e na vida. Belo Horizonte: Gutenberg, 2015.

LENT, Roberto. *Cem bilhões de neurônios:* conceitos fundamentais de neurociência. São Paulo: Atheneu, 2004.

LEWIS, Michel. *O projeto desfazer:* a amizade que mudou nossa forma de pensar. Rio de Janeiro: Intrínseca, 2017.

MANDELLI, Pedro; LORIGGIO, Antônio. *Exercendo liderança:* o papel central do líder, sua motivação, proatividade e equilíbrio emocional. Rio de Janeiro: Vozes, 2016.

PINKER, Steven. *Guia de escrita:* como conceber um texto com clareza, precisão e elegância. São Paulo: Contexto, 2016.

RIBEIRO, Julio. *Fazer acontecer.com.br*. São Paulo: Saraiva, 2009.

SCHULTZ, Duane P.; SCHULTZ, Sydney Ellen. *Teorias da personalidade*. São Paulo: Thomson, 2002.

THALER, Richard; SUNSTEIN, Cass. *Nudge:* o empurrão para a escolha certa. Aprimore suas decisões sobre saúde, riqueza e felicidade. Rio de Janeiro: Campus, 2009.

WELCH, Jack; BYRNE, John. *Jack definitivo:* segredos do executivo do século. Rio de Janeiro: Campus, 2001.

REFERÊNCIAS BIBLIOGRÁFICAS

Links

BandNews. "Comportamento e carreira." Disponível em: <http://bandnewsfmcuritiba.com/category/colunistas/comportamento-e-carreira-colunas/>. Acesso em: 26 dez. 2017.

Exame. "10 perguntas essenciais ao entrevistar um futuro funcionário." 20 set. 2013. Disponível em: <http://eduardoferraz.com.br/10-perguntas-essenciais-ao-entrevistar-um-futuro-funcionario/>. Acesso em: 26 dez. 2017.

Exame. "3 erros que os empreendedores cometem quando viram chefes." 8 mar. 2013. Disponível em: <http://eduardoferraz.com.br/3-erros-que-os-empreendedores-cometem-quando-viram-chefes/>. Acesso em: 26 dez. 2017.

Exame. "3 livros para inspirar empreendedores na gestão de pessoas." 14 jun. 2013. Disponível em: <http://exame.abril.com.br/pme/3-livros-para-inspirar-empreendedores-na-gestao-de-pessoas/>. Acesso em: 26 dez. 2017.

Exame. "4 formas de motivar seus funcionários sem pôr a mão no bolso." 28 mai. 2013. Disponível em: <http://exame.abril.com.br/negocios/4-formas-de-motivar-seus-funcionarios-sem-por-a-mao-no-bolso/>. Acesso em: 26 dez. 2017.

Exame. "4 sinais de que você contrata as pessoas erradas." 26 jul. 2013. Disponível em: <http://exame.abril.com.br/pme/4-sinais-de-que-voce-contrata-as-pessoas-erradas/>. Acesso em: 26 dez. 2017.

Exame. "4 valores que toda pequena empresa deveria ter." 29 nov. 2013. Disponível em: <http://exame.abril.com.br/pme/4-valores-que-toda-pequena-empresa-deveria-ter/>. Acesso em: 26 dez. 2017.

Exame. "5 atitudes que pegam mal para os chefes." 20 mai. 2013. Disponível em: <http://eduardoferraz.com.br/5-atitudes-que-pegam-mal-para-os-chefes/>. Acesso em: 26 dez. 2017.

Exame. "5 cuidados que o empreendedor deve ter ao sair de férias." 13 dez. 2013. Disponível em: <http://exame.abril.com.br/pme/5-cuidados-que-o-empreendedor-deve-ter-ao-sair-de-ferias/>. Acesso em: 26 dez. 2017.

Exame. "5 dicas para empreendedores terem uma rotina mais produtiva." 31 mai. 2013. Disponível em: <http://eduardoferraz.com.br/5- dicas-para-empreendedores-terem-uma-rotina-mais-produtiva/>. Acesso em: 26 dez. 2017.

Exame. "5 dicas para incentivar a capacitação da sua equipe." 9 ago. 2013. Disponível em: <http://exame.abril.com.br/pme/5-dicas-para-incentivar-a-capacitacao-dos-funcionarios/>. Acesso em: 26 dez. 2017.

REFERÊNCIAS BIBLIOGRÁFICAS

Exame. "5 dicas para uma gestão menos centralizadora." 22 mar. 2013. Disponível em: <http://eduardoferraz.com.br/5-dicas-para-uma-gestao-menos-centralizadora/>. Acesso em: 26 dez. 2017.

Exame. "5 exemplos de líderes para inspirar os empreendedores." 19 abr. 2013. Disponível em: <http://exame.abril.com.br/pme/5-exemplos-de-lideres-para-inspirar-os-empreendedores/>. Acesso em: 26 dez. 2017.

Exame. "5 fatores que podem motivar mais que dinheiro." 18 out. 2013. Disponível em: <http://exame.abril.com.br/pme/dicas-de-especialista/noticias/5-fatores-que-podem-motivar-mais-que-dinheiro>. Acesso em: 26 dez. 2017.

Exame. "5 lições que os empreendedores não aprendem na faculdade." 23 ago. 2013. Disponível em: <http://exame.abril.com.br/pme/5-licoes-que-os-empreendedores-nao-aprendem-na-faculdade/>. Acesso em: 26 dez. 2017.

Exame. "5 maneiras de lidar com conflitos na sua empresa." 14 dez. 2012. Disponível em: <http://exame.abril.com.br/pme/5-maneiras-de-lidar-com-conflitos-na-sua-empresa/>. Acesso em: 26 dez. 2017.

Exame. "5 principais erros das pequenas empresas familiares." 28 jun. 2013. Disponível em: <http://exame.abril.com.br/pme/5-principais-erros-das-pequenas-empresas-familiares/>. Acesso em: 26 dez. 2017.

Exame. "6 dicas para melhorar o clima no seu negócio." 22 fev. 2013. Disponível em: <http://exame.abril.com.br/pme/6-dicas-para-melhorar-o-clima-no-seu-negocio/>. Acesso em: 26 dez. 2017.

Exame. "6 dicas para preparar a sucessão sem traumas." 5 abr. 2013. Disponível em: <http://exame.abril.com.br/pme/6-dicas-para-preparar-a-sucessao-sem-traumas/>. Acesso em: 26 dez. 2017.

Exame. "6 formas de incentivar o diálogo na sua empresa." 25 jan. 2013. Disponível em: <http://exame.abril.com.br/pme/6-formas-de-incentivar-o-dialogo-na-sua-empresa/>. Acesso em: 26 dez. 2017.

Exame. "7 dicas para feedbacks produtivos." 11 jan. 2013. Disponível em: <http://exame.abril.com.br/pme/7-dicas-para-feedbacks-produtivos/>. Acesso em: 26 dez. 2017.

Exame. "A principal ferramenta para ajudar na gestão de uma empresa." 24 abr. 2014. Disponível em: <http://exame.abril.com.br/pme/dicas-de-especialista/noticias/a-principal-ferramenta-para-ajudar-na-gestao-de-uma-empresa>. Acesso em: 26 dez. 2017.

Exame. "Como criticar funcionários sem ofender." 3 mai. 2013. Disponível em: <http://exame.abril.com.br/pme/como-criticar-funcionarios-sem-ofender/>. Acesso em: 26 dez. 2017.

Exame. "Como lidar com familiares ou amigos que trabalham na empresa?" 4 out. 2013. Disponível em: <http://exame.abril.com.br/pme/como-lidar-com-familiares-ou-amigos-que-trabalham-na-empresa/>. Acesso em: 26 dez. 2017.

Exame. "Como melhorar a gestão de sua equipe." 21 fev. 2013. Disponível em: <http://exame.abril.com.br/pme/como-melhorar-a-gestao-de-sua-equipe/>. Acesso em: 26 dez. 2017.

Exame. "Como reter os talentos na minha empresa?." 28 dez. 2012. Disponível em: <http://eduardoferraz.com.br/como-reter-os-talentos-na-minha-empresa/>. Acesso em: 26 dez. 2017.

Exame. "Como ser um empreendedor menos estressado." 12 jul. 2013. Disponível em: <http://exame.abril.com.br/pme/como-ser-um-empreendedor-menos-estressado/>. Acesso em: 26 dez. 2017.

Sebrae. "Participação das micro e pequenas empresas na economia." 2013. Disponível em: <https://m.sebrae.com.br/Sebrae/Portal%20Sebrae/Estudos%20e%20Pesquisas/Participacao%20das%20micro%20e%20pequenas%20empresas.pdf>. Acesso em: 26 dez. 2017.

World Economic Forum. "The future of jobs." Jan. 2016. Disponível em: <http://www3.weforum.org/docs/WEF_FOJ_Executive_Summary_Jobs.pdf>. Acesso em: 26 dez. 2017.

Vídeos

Exame. "Como motivar uma equipe desanimada sem gastar nada." 23 set. 2013. Disponível em: <http://exame.abril.com.br/videos/dicas-para-empreendedores/como-motivar-uma-equipe-desanimada-sem-gastar-nada/>. Acesso em: 26 dez. 2017.

Exame. "Como um líder deve agir na hora de resolver conflitos." 28 out. 2013. Disponível em: <http://exame.abril.com.br/videos/dicas-para-empreendedores/como-um-lider-deve-agir-na-hora-de-resolver-conflitos/>. Acesso em: 26 dez. 2017.

Exame. "Sou perfeccionista e tendo a travar o sistema. O que fazer?" 24 fev. 2014. Disponível em: <http://exame.abril.com.br/videos/sua-carreira/sou-perfeccionista-e-tendo-a-travar-o-sistema-o-que-fazer/>. Acesso em: 26 dez. 2017.

Exame. "Digo tudo que penso. Vale a pena agir assim?" 17 mar. 2014. Disponível em: <http://exame.abril.com.br/videos/sua-carreira/digo-tudo-que-penso-vale-a-pena-agir-assim/>. Acesso em: 26 dez. 2017.

Exame. "Exageros na entrevista podem custar oportunidade de emprego." 19 mai. 2014. Disponível em: <http://exame.abril.com.

REFERÊNCIAS BIBLIOGRÁFICAS

br/videos/sua-carreira/exageros-na-entrevista-podem-custar-oportunidade-de-emprego/>. Acesso em: 26 dez. 2017.

EXAME. "Como ser um chefe incentivador sem ser chato." 1 set. 2014. Disponível em: <http://exame.abril.com.br/videos/sua-carreira/como-ser-um-chefe-incentivador-sem-ser-chato/>. Acesso em: 26 dez. 2017.

EXAME. "O que significam, na prática, os valores de uma empresa?" 3 nov. 2014. Disponível em: <http://eduardoferraz.com.br/o-que-significam-na-pratica-os-valores-de-uma-empresa/>. Acesso em: 26 dez. 2017.

EXAME. "Como a neurociência pode contribuir na gestão de pessoas." 12 jan. 2015. Disponível em: <http://eduardoferraz.com.br/como-a-neurociencia-pode-contribuir-na-gestao-de-pessoas/>. Acesso em: 26 dez. 2017.

EXAME. "Como o líder concilia lado humano e pressão por resultados." 3 dez. 2015. Disponível em: <http://exame.abril.com.br/videos/sua-carreira/como-o-lider-concilia-lado-humano-e-pressao-por-resultados/>. Acesso em: 26 dez. 2017.

EXAME. "Tenho fama de ser bonzinho. Como não ser explorado?" 6 set. 2016. Disponível em: <http://exame.abril.com.br/videos/sua-carreira/tenho-fama-de-ser-bonzinho-como-nao-ser-explorado/>. Acesso em: 26 dez. 2017.

EXAME. "É melhor começar a carreira em grande ou pequena empresa?" 17 out. 2016. Disponível em: <http://exame.abril.com.br/videos/sua-carreira/e-melhor-comecar-a-carreira-em-grande-ou-pequena-empresa/>. Acesso em: 26 dez. 2017.

EXAME. "6 atitudes marcantes dos empreendedores." 27 mar. 2012. Disponível em: <http://exame.abril.com.br/videos/dicas-para-empreendedores/as-caracteristicas-dos-chefes-que-empreendedores-podem-ter/>. Acesso em: 26 dez. 2017.

EXAME. "O que te motiva na carreira?" 18 jan. 2013. Disponível em: <http://exame.abril.com.br/videos/mais-videos/o-que-te-motiva-na-carreira/>. Acesso em: 26 dez. 2017.

EXAME. "Empreendedores são líderes natos?" 2 set. 2013. Disponível em: <http://exame.abril.com.br/videos/dicas-para-empreendedores/empreendedores-sao-lideres-natos/>. Acesso em: 26 dez. 2017.

EXAME. "Como delegar tarefas melhor." 9 set. 2013. Disponível em: <http://exame.abril.com.br/videos/dicas-para-empreendedores/como-delegar-tarefas-melhor/>. Acesso em: 26 dez. 2017.

EXAME. "Os 3 principais tipos de líderes." 16 set. 2013. Disponível em: <http://exame.abril.com.br/videos/dicas-para-empreendedores/os-3-principais-tipos-de-lideres/>. Acesso em: 26 dez. 2017.

REFERÊNCIAS BIBLIOGRÁFICAS

EXAME. "Como ter funcionários mais felizes." 30 set. 2013. Disponível em: <http://exame.abril.com.br/videos/dicas-para-empreendedores/como-ter-funcionarios-mais-felizes/>. Acesso em: 26 dez. 2017.

EXAME. "Como dar feedback na sua pequena empresa." 7 out. 2013. Disponível em: <http://exame.abril.com.br/videos/dicas-para-empreendedores/como-dar-feedback-na-sua-pequena-empresa/>. Acesso em: 26 dez. 2017.

EXAME. "Como conquistar a confiança da sua equipe." 4 nov. 2013. Disponível em: <http://exame.abril.com.br/videos/dicas-para-empreendedores/como-conquistar-a-confianca-da-sua-equipe/>. Acesso em: 26 dez. 2017.

EXAME. "Posso também entrevistar o recrutador?" 8 set. 2014. Disponível em: <http://exame.abril.com.br/videos/sua-carreira/posso-tambem-entrevistar-o-recrutador/>. Acesso em: 26 dez. 2017.

EXAME. "Como proceder ao receber uma crítica muito dura." 15 set. 2014. Disponível em: <http://exame.abril.com.br/videos/sua-carreira/como-proceder-ao-receber-uma-critica-muito-dura/>. Acesso em: 26 dez. 2017.

EXAME. "Como atrair talentos para o seu pequeno negócio." 14 out. 2013. Disponível em: <http://exame.abril.com.br/videos/dicas-para-empreendedores/como-atrair-talentos-para-o-seu-pequeno-negocio/>. Acesso em: 26 dez. 2017.

EXAME. "Personalidade é tão importante quanto currículo?" 17 nov. 2014. Disponível em: <http://exame.abril.com.br/videos/sua-carreira/personalidade-e-tao-importante-quanto-curriculo/>. Acesso em: 26 dez. 2017.

Leia também

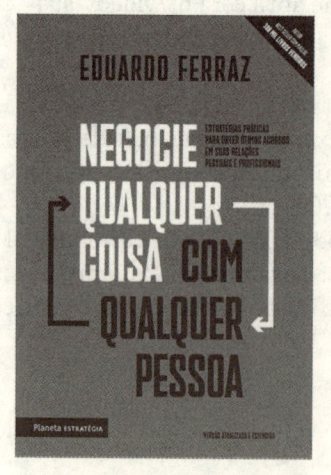

Editora Planeta Brasil — 20 ANOS

Acreditamos nos livros

Este livro foi composto em Bliss e Chaparral e impresso pela Gráfica Santa Marta para a Editora Planeta do Brasil em julho de 2023.